JN034485

総合判例研究叢書

労働法(5)

有斐閣

労働法・編集委員

石井照久

浅井清信

序

フランスにおいて、自由法学の名とともに判例の研究が異常な発達を遂げているのは、その民法典が百五十余年の齢を重ねたからだといわれている。それに比較すると、わが国の諸法典は、まだ若い。最も古いものでも、六、七十年の年月を経たに過ぎない。しかし、わが国の諸法典は、いずれも、近代的法制を全く知らなかつたところに輸入されたものである。そのことを思えば、この六十年の間に極めて重要な判例の変遷があつたであろうことは、容易に想像がつく。事実、わが国の諸法典は、それに関連する判例の研究でこれを補充しなければ、その正確な意味を理解し得ないようになつている。

判例が法源であるかどうかの理論については、今日なお議論の余地があろう。しかし、実際問題として、多くの条項が判例によつてその具体的な意義を明かにされているばかりでなく、判例によつて特殊の制度が創造されている例も、決して少くはない。判例研究の重要なことについては、何人も異議のないことであろう。

判例の創造した特殊の制度の内容を明かにするためにはもちろんのこと、判例によつて明かにされた条項の意義を探るためにも、判例の総合的な研究が必要である。同一の事項についてのすべての判決を探り、取り扱われた事実の微妙な差異に注意しながら、総合的・発展的に研究するのでなければ、判例の研究は、決して終局の目的を達することはできない。そしてそれには、時間をかけた克明な努力を必要とする。

幸なことには、わが国でも、十数年来、そうした研究の必要が感じられ、優れた成果も少くないようになつた。いまや、この成果を集め、足らざるを補ない、欠けたるを充たし、全分野にわたる研究を完成すべき時期に際会している。

かようにして、われわれは、全国の学者を動員し、すでに優れた研究のできているものについては、その補訂を乞い、まだ研究の尽されていないものについては、新たに適任者にお願いして、ここに「総合判例研究叢書」を編むことにした。第一回に発表したものは、各法域に亘る重要な問題のうち、研究成果の比較的早くでき上ると予想されるものである。これに洩れた事項でさらに重要なもののあることは、われわれもよく知つている。やがて、第二回、第三回と編集を継続して、完全な総合判例法の完成を期するつもりである。ここに、編集に当つての所信を述べ、協力される諸学者に深甚の謝意を表するとともに、同学の士の援助を願う次第である。

昭和三十一年五月

編集代表
小野清一郎　宮沢俊義
末川　博　我妻　栄
中川善之助

凡　例

一　判例の重要なものについては、判旨、事実、上告論旨等を引用し、各件毎に一連番号を附した。

二　判例年月日、巻数、頁数等を示すには、おおむね左の略号を用いた。

大判大五・一一・八民録二二・二〇七七　（大審院判決録）

（大正五年十一月八日、大審院判決、大審院民事判決録二十二輯二〇七七頁）

大判大一四・四・二三刑集四・二六二　（大審院判例集）

最判昭二二・一二・一五刑集一・一・八〇　（最高裁判所判例集）

（昭和二十二年十二月十五日、最高裁判所判決、最高裁判所刑事判例集一巻一号八〇頁）

大判昭二・一二・六新聞二七九一・一五　（法律新聞）

大判昭三・九・二〇評論一八民法五七五　（法律評論）

大判昭四・五・二二裁判例三・刑法五五　（大審院裁判例）

福岡高判昭二六・一二・一四刑集四・一四・二一一四　（高等裁判所判例集）

大阪高判昭二八・七・四下級民集四・七・九七一　（下級裁判所民事裁判例集）

最判昭二八・二・二〇行政例集四・二・二三一　（行政事件裁判例集）

名古屋高判昭二五・五・八特一〇・七〇　（高等裁判所刑事判決特報）

東京高判昭三〇・一〇・二四東京高時報六・二・民二四九　（東京高等裁判所判決時報）

札幌高決昭二九・七・二三高裁特報一・二・七一　（高等裁判所刑事裁判特報）

前橋地決昭三〇・六・三〇労民集六・四・三八九　（労働関係民事裁判例集）

その他に、例えば次のような略語を用いた。

裁判所時報＝裁　時　　家庭裁判所月報＝家裁月報

判例時報＝判　時　　判例タイムズ＝判　タ

目 次

除名

外尾健一

労働組合

――その組織と統制――

石井照久

労働組合の分裂と解散

萩沢清彦

はしがき

労働組合は労使関係における団体交渉の主体として設立される。財産権の主体としての機能は附随的な意味をもつに止まる。

現行労働組合法は労使関係の主体としての労働組合については比較的詳細な規定（同法五条等）をおくに反し、労働組合の設立そのものについては自由設立主義をとり、解散についても一一条に二項目の解散事由を規定する他は法人たる労働組合について民法の社団法人の清算に関する規定（民七二乃至八三条）を準用するに止めている。

他方、右に述べた労働組合の性格からして労働組合相互間、若しくは労働組合と組合員との関係は法律問題として意識されることが従来少なかつたために、労働組合の解散についての判例は、解散そのものよりも、それから派生する労働協約の効力等に関するものが多い。しかし、それらについては本叢書のそれぞれについて取扱われるので、本稿では、労働組合の解散並びに之に類似する労働組合の消滅事由についての判例を検討し、附随的に組合財産の帰属を検討するに止め、労働協約の効力の変更等については一切省略した。したがつて労働組合の解散、分裂等の際の労働協約の効力、ユニオン・ショップの効力等についてはそれぞれの巻を参照されたい。

労働組合の「分裂」は労働運動に特有な病理現象であり、従来の団体理論のみによつては解決し得ない要素を含む。広義においては労働組合の消滅の一事由となるのであろうが、従来用いられて来た「事実概念」としての分裂と労働法理論の中で最近用いられている「法律概念」としてのそれとは本質を異にする。判例もこの両者を等しく分裂という用語で表現しているので、両者の差異を明らかにすることが必要であると思われる。本稿において別項として分裂を扱う所以である。

いずれにせよ労働組合の運営に関する問題は法的解決になじみにくい。判例も数多くはない。しかし、いつかは問題として意識されるであろうし、そのために本稿が何らかの手がかりとなることを希望する。

(昭和三二・一 二 記)

附記 凡例以外の略語は左の通りである。

労民裁判集=労働関係民事事件裁判集
吾妻=吾妻光俊「労働法」(青林書院)
柳川他=柳川他「判例労働法の研究」
柳川他補=柳川他「追補判例労働法の研究」
菊池・林=菊池・林「労働組合法」
吾妻・条解=吾妻光俊「条解労働組合法」
東大=東京大学労働法研究会「註釈労働組合法」
平賀=平賀健太「労働組合法論」
石川・労働法=石川吉右衛門、日本労働法学会誌「労働法」所載

一　労働組合の解散

一　解散の手続

（一）　採決数について　　労組法一〇条は労働組合の解散事由として(1)規約で定めた解散事由の発生(2)組合員又は構成団体の四分の三以上の多数による総会の決議、を挙げている。

後者につき、民法の社団法人の場合（同法六九条）のように規約によつて右定数を変更することができるかどうかを明らかにしていないので解釈につき争がある。

労働組合の解散が組合個人にとつて、その労働条件の維持向上をはかる手段を奪う結果になることを理由として、本条の規定を最低要件と解し、四分の三を厳格にすることはできるが緩和することはできないとする説（吾妻・条解九四）、労働組合の本質からして強行規定と解すべしとする説（菊池・林一三四）、本条第二号は第一号を制約したものではないから規約をもつて別の定をなし得るとする説（東大・一一八、柳川他一三五）がある。通牒は、本号は規約において解散事由を規定していない場合の補充的規定であるから、社団の本質に抵触する如き規定（例えば組合員の十分の一）でない限り規約において別段の定をなし得るとし（昭二三・六・三、労発二六二号）、次の判例もこの立場をとる。

【1】　「労働組合法第十条第二号によれば、解散の決議は組合員又は構成団体の四分の三以上の多数による総会の決議によることになつているが同条第一号によれば、労働組合は「規約で定めた解散事由の発生」によつて解散すると定めている。これによつてみれば同条第二号は規約で解散決議の人数につき定のない場合の補

充規定と解さなければならない。ところで成立に争いない前記甲第四号証の被告組合の規約第十三条によると被告組合は解散は全国大会の付議事項とされまたその第十九条によると議事の決定は綱領規約の改正以外は出席代議員の過半数によるとされて居るから、解散はこの規約により全国大会の出席代議員の過半数の議決によつてなし得るものと解すべく、四分の三以上の多数による総会の決議を要するとの原告らの主張は失当である」（東京地判昭二九・九・一〇労民集五・五・四五三）。

条文の解釈上はいずれの説をもとり得るであろうが、労働組合にとつてまた組合員にとつて解散ということのもつ重要性からみれば強行規定として厳格に解すべきものではなかろうか。右の判例は便宜主義にすぎにわかに賛意を表し難い。

（二）　採決の方法　　同条二号はまた、同法五条二項五号（役員の選出）同八号（同盟罷業の開始）同九号（規約改正）のように「直接無記名投票による」旨の規定がない。したがつて、直接無記名投票による旨の組合規約に違反した場合の決議の効力如何という問題を生ずる。判例としては、直接無記名投票による旨の組合規約に違反して、議長が異議の有無を議場に問う方法により満場一致可決されたこととした解散決議を有効とした判例がある。

【2】　「被告乙組合の規約第二十条によれば解散決議は直接無記名投票によつて採決すべきこととされておるに拘らず、本件決議がこれに反して議長が異議の有無を議場に問う方法により満場一致可決されたものとしたことは当事者間に争のない事実である。直接無記名投票は投票者の附和雷同を排しその真意を表明することの妨げとならないためにとられる採決方法であつて、同盟罷業権の行使などが、これによらねばならないことはもちろんのことである。しかしながらこのような直接無記名投票による弊害（原文ノマヽ）のないことが一

見極めて明白である場合には、直接無記名投票によらないものを無効と解しなければならないことはない。証人A、B、Cの各証言と弁論の全趣旨によれば、本件決議はすでに第五回大会において被告乙組合を解体する方針を可決し、これに不服な大会退場派は新に再建総同盟刷新強化運動を起して組合費を本部に納入せず、第六回大会に参加する資格もなく、また第六回大会は解散決議をすることを目途として招集せられ、これに代議員を参加させた各構成団体は、すべて解散に賛成したものであつて、代議員もまたその趣旨で参加したことは極めて明白である。かような状況のもとに開かれた第六回大会の解散の議事に直接無記名投票という採決方法をとらなかつたとしても、投票者の真意が表決に反映しないということはあり得なかつたわけである。したがつて、かかる採決方法を省略し議長が異議の有無を議場に問う方法を採用したからといつて、決議の効力を無効ならしめなければならない理由に乏しい」（東京地判昭二九・九・一〇労民集五・五・四五三）。

この点につき他に判例はなく、学説もふれたものはない。しかし法の解釈として四分の三以上の多数決を強行規定と解する立場からすれば右判例の便宜主義は著しく疑問である。事案は組合員の除名に関するものであるが無記名投票によるべき旨の組合規約に違反して挙手をもつて採決した除名決議を無効とした東京地裁判例は「労働組合は、自主的団体であるから、その自主権に基いて組合規約を制定する機能を有し、組合規約は、自主法規として組合及び組合員を拘束する効力を有する。そして組合規約において組合大会の決議方法を定めている場合、この方法に違反する決議は原則として無効と解するのが相当である。……決議が無記名投票によりなされるか、挙手によりなされるかは、決議権を行使する者の意思の表明に重大な影響を及ぼすものであるから、かかる規約違反の決議は、その瑕疵が重大であつて、無効と解する外ない」と判示しているが（東京地決昭三二・八・二二労民集七・四・六六〇）、組合の解散決議についても適用されるべきであろう。少なくとも前記判例【2】が、「直接無記名投票によらないことによる弊害のないことが明白なときには」規約に違反しても他の採決方法により得ることを一般原則としたことは誤であろう。

(三)　その他　解散手続については他に最高裁判例が一件ある。組合規約において、組合員総会にはかるべき事項として、組合規約等に関する事項の外委員会において必要と認むる事項を掲げている場合に、委員会の議を経ずして直に総会代議員より総会に提出された組合解散の提案につき

【3】「思うに議決機関と執行機関とを分離する立前の下においては、議案の提出はこれを執行機関の管掌下に置くを通例とするも、構成員にその権限を認めないときはその権利を適正に保護し得ないことに鑑み、かかる場合に対処し、構成員にはいわゆる少数株主権の如き固有の総会召集権従つて議案提出権を認めるのである(最判昭二八・一二・四集七・一三・一九)。

として、組合規約上明文がなくとも、委員会の総会議案先議権は通常の場合を予想したにすぎず緊急な特別事情ある場合に少なくとも総会開催中組合員より議案を提出することを禁止する趣旨ではないと判示する。

また右判決の控訴審(福岡高判昭二五・九・二七労民集一・五・八八四)は、議決権を有しないものが議決に参加しても、その者を除いても賛成者が法定の四分の三以上の多数に達して居れば議決は有効であるとする。いずれも当然のことであろう。

二　上部団体の解散と単位組合

連合体組織の場合はともかく、単一組織の場合には、規約の形式上単位組合（支部又は分会と称するのが通常である）は単一組織の部分、構成分子としてのみ存在するかの如き観を呈し、したがつて、上部団体たる単一組織の解散によつて、当然に支部又は分会も消滅するのではないかとの問題が生ずる。この問題は主として労働協約の効力と関連して生ずるが、労働協約については本叢書のそれぞれの巻にゆずり、ここでは原則的な事例のみを見ておくこととする。

【4】　「原判決の理由によれば⑴所論の団体協約甲号及び乙号並びに各附属覚書甲号及び乙号は、いずれも昭和二一年一一月三〇日、甲各号はA組合と被上告人Y会社との間に又乙各号は同組合X支部と上告人（原文ノママ。被上告人の誤か―筆者）会社との間におのおの締結されたものであるが、右団体協約乙号は同甲号に基いてできたものであること、⑵右A組合は単一組合であつて同組合X支部は右単一組合の一構成分子に過ぎないものであること、⑶右単一組合は昭和二三年七月二七日新たなるB組合設立と同時に発展解散する旨の決議をし右新組合は同月三一日前の組合員であつた赤旗社を除き新たに読売新聞社外数社を加えて結成大会を開き前示前組合の決議を承認して同年九月七日前組合の解散届と新組合の仮設立届を同時に提出し、更に同年一〇月二九日新組合の正式設立届をしたこと、⑷右前後組合の解散及び設立の事情は、前組合では全国の新聞労働者の大同団結が困難であり読売毎日その他の組合が脱退しており、又全国的に見て参加していないものが相当あつたので新組合ではそれを統一して大同団結するため産別協議会より脱退し面目を一新して新加入の方式によることとしたため前組合と新組合とは根本的に思想的立場を異にし、その組織・綱領・規約・構成員等の点において相当重要な変更のあること等から見て法律上同一性のない別個の組合であつて、従つて前組合は解散により消滅し新組合は新たに設立せられたものと認めること、⑸そして前示団体協約甲乙各号並びに附属覚書甲乙各号を被上告人会社と新組合との間に受継したものと認むる何等の事跡のないことの各点を認定判示し

ているのである。

しからば所論団体協約甲号及びその附属覚書甲号は、その協約一方の当事者であるA組合が既に解散消滅に帰した以上、他に特段の事由の存在を認め難い本件においては右労働協約甲号及びその附属覚書甲号が失効することは当然であり、又右組合X支部は右単一組合の一構成分子に過ぎないものである以上、支部は単一組合とその運命を共にすべく、従つて労働協約乙号及びその附属覚書乙号が右甲号協約とその運命を共にするものと認むるを相当とする」（最判昭二七・一〇・二二集六・九・八五七、労民集三・五・三八三）。

右判決の主眼は結局のところ、下部組合の協約の基礎をなす上部組合の協約の失効によつて下部組合の協約も当然に失効するというところにあるのであるが、その当否はともかくとして（反対・本叢書労働法(1)・七〇頁）その前提として上部組合の解散により下部組合が当然に消滅するとした点は誤という他はない。

民法商法上の法人等の場合にははじめから財産取引の主体として設立され、したがつて支店は本店の人格の範囲内において附随的に存在するのであり、支店は法人そのものの変更消滅と運命をともにする。これに反して労働組合の場合は上部組合、下部組合というものは単に労働関係における主体としての相互の関係を示すものにすぎず、単一組合として規約上は支部が上部組合の一構成分子である表現を有していても独立して財産取引の主体たり得ることはもちろん、労働関係における主体としても独立の存在たり得ることをただちに否定するものと解することはできない。もとより、実態上支部が上部組合の単なる一構成分子にすぎない事例が皆無ではないであろうが、企業組合を主とするわが国の場合にはむしろ例外的事例であろう。したがつて下級審ではあるが実態上の判断から単一労働組合の下部組織であつても上部組合の解散によつて当然にその存立に影響をうけるものではないと判断した次の判決が正鴻を得たものというべく、前示【4】は実態上の判断を看過したものである。

【5】「労働組合が各会社または工場毎に結成され、ある地区におけるこれら同種産業の各労働組合が一つの上級単一組合を組織し、さらに右地区のこれら単一組合が全国的に単一組合を組織している場合において、各地区毎の単一組合を支部と称し、各会社または工場毎の単位組合を分会と称する事例はしばしば見受けられるところであるが、このような場合においても右の各支部または各分会がそれぞれ労働組合法第七条（現行第五条―筆者）所定の独自の組合規約を有し、独自の活動をなし得べき社団的組織体をなしている以上、それぞれ独立の労働組合に外ならないのであつて」「それが独立の活動体である以上上級連合団体が解散することありとしても、これとともに当然に解散すべきことが特に下級組合の規約上定められている場合は格別、そうでない限り上級連合団体の解散によつて、その存立に何らの影響をも受けるものでないことは当然である」（名古屋地判昭二三・一二・一〇労民裁判集二・一・一六三同旨山口地判昭二三・一二・八労民裁判集一・一七八、賛成吾妻一二六）。

三　解散と組合財産の帰属

労働組合の財産の帰属を如何に解するかは、労働組合の法的性格を如何に解するかによつて左右される。

一部には労働組合を一即他の綜合人格としての性格をもつものであるとの説（平賀・七七以下、同旨石川・労働法三・一四二）もあるが通説は一種の社団と解している（吾妻・一一六）。ところで、労働組合が法人格を取得したときは労組法一二条により民法七二条以下の規定が準用されるのであるが、法人にあらざる労働組合の場合の財産所有関係、殊に解散の場合の財産の帰属については学説判例とも岐れている。

共同所有の形式のうち、法人のそれが共有、合有、総有のいずれにも属しないで法人の単独所有であることは明らかであるが、法人格を有しない権利能力なき社団についてはその財産は総有であるとするのが通説である（我妻・民法総則一四二但し合有とするもの川島・民法(三)二八九頁）。したがつて法人格なき労働組合を権利能力なき社団と解する通説の立場をとればその財産は組合員の総有に属し、各組合員は何等の持分を有せず、又債務は組合財産をもつてのみ弁済すべきものとなる。したがつて脱退組合員は組合財産に対して請求権を有しないことになる。

しかしながら解散の場合にはその残余財産は何処に帰属することになるのであろうか。

まず考えられるのは法人たる労働組合の解散の場合と同様に民法七二条を準用すべきではないかということであるが同条二項三項は社団たるの性質から当然に生ずるものでなく公益的規定であることを考慮すればこれを権利能力なき社団の解散についてまで準用することは当を得たものではないであろう。してみると解散によつて社団たる団体の消滅過程に入つた後には、総有状態が廃止されたものとして、各組合員は労働組合の財産に対して残余財産分配請求権を有するものと解すべきであろうか（吾妻・一二六、柳川他・一三六、柳川他追補・三六三）。この点についての判例はないが次の判例は参考となるであろう。

【6】「権利能力なき社団の財産は実質的には社団そのものの財産にして総社員の所謂総有に属し、総社員の同意を以て総有の廃止を為さば格別然らざる限り現各社員は勿論元社員も社団財産上に共有の持分を有せず又分割請求権を有せざるものと解するを相当とする。債権者は昭和二十五年七月二十三日債務者組合は分裂し債務者組合に百一名を残し債権者外五百十名の組合員は新に乙組合を結成するに至つたが、当時債務者組合にあつた九十八万四千十一円二十四銭の組合財産は総組合員六百十二名の均一の持分による共有財産であるから債権者外五百十名は各自の持分千六百七円八十銭余合計八十二万千六百十七円余の分割を債務者組合に求める

旨主張するのに対し債務者組合は之を争うているのであるが、仮に債権者主張の如しとするも、債務者組合が昭和二十五年七月二十三日当時組合員全員にて組合財産の処分に関し何等の決議を為さざりしことは当事者間に争いなきところであり、併も債務者組合の組合員全員の同意を以て組合財産につき総有の廃止を為したることは債権者の主張立証しないところであるから前段説示の通り債権者五百十名の各自は債務者組合財産上に共有の持分を有せず又分割請求権を有せざるものと謂うの外はない」（岡山地判昭二六・三・一二労民集二・六・六八四）。

この点につき右判決【6】の上告審が

【7】「なお法人格を有する労働組合については労働組合法一二条二項により、民法七二条が準用せられ、組合解散の場合の残余財産の帰属については民法七二条三項の準用により定款をもつて帰属権利者を指定せず又はこれを指定する方法を定めなかつたときは、主務官庁の許可を得、且つ総会の決議を経て、其の法人の目的に類似した目的の為に其の財産を処分するものとせられているところと比照し、本件の如き法人格なき労働組合についても、たとえ所論のような解散に準ずる分裂の場合であつたとしても、その残余財産を脱退した元組合員に帰属せしめることについては、すくなくとも分裂当時における総組合員の意思に基づくことが必要であつて、これなくしては、脱退した元組合員が当然にその脱退当時の組合財産につき共有の持分権又は分割請求権を有するものと解することはできない。（最判昭三二・一一・一四集一一・一二・一九四三）。

と述べているのも、解散に際して、法人格なき労働組合の組合員が当然に組合財産につき共有の持分権ないしは分割請求権を有しないことを前提としているものと解すべきであろうか。

四　解散以外の労働組合の消滅

前述のように労組法一〇条は労働組合の解散事由として二項目を挙げている。そのうち総会の決議による場合についての事例を主として見て来たのであるが、他の事由すなわち「規約で定めた解散事由の発生」については事例は全くなく且つ規約中に「総会の決議」以外の解散事由を定める例も殆んどない。

しかしながら解散以外の事由で労働組合が消滅する事例は若干存在する。合同、組織変更、組合員の欠如等がそれである。これらの例は労働組合の解散と関連させて検討するのが適当と考えられるのでここで論及しておくこととする。

（一）　法人格の喪失　　現行法上法人が法人格を喪失するのは解散以外にないのが原則であるが稀に特殊の法令により他動的に法人格を喪失することがある。この場合に法人たる労働組合は消滅し、権利能力なき社団たる労働組合を生ずることになる。しかし形式的には法人たる労働組合が消滅し権利能力なき社団たる労働組合が生ずるのであつてもその実態には変化はなく当該労働組合は法人格喪失の前後を通じて同一性を有することは明らかである。したがつて法人格の喪失は労働組合を消滅せしめることにはならない。

既述のように労働組合は本来財産の所有取引の主体として設立せられるのではなく、労使関係における主体として設立せられるのであり、法人格の取得はその附随的作用としての財産の所有取引につき法律関係を明確にするだけの意味しかもたず、その有無によつて労働組合の存在が左右されるものではないからである。

国家公務員法の第一次改正（昭二三）に際して人事院規則一四―二・七項は法人たる公務員の組合につき昭和二四年九月一日までに人事院に登録されないときは法人たる地位を失うものとした。この規定により同期日までに人事院に登録せず法人格を喪失した労働組合につき左の判例は殆んど意を尽して余すところがない。

【8】「甲組合は旧労働組合法第十六条の規定に基き法人格を取得した労働組合であつたが、昭和二十四年九月一日までに人事院に登録しなかつたため人事院規則一四―二項により同日以後法人たる地位を失つたことについては当事者間に争がない。

右法人格の喪失が甲労組の性格上にいかなる変化をもたらすかの点について次に考察する。一体労働組合乃至職員組合は法人格の有無にかかわりなく一の社団として組合活動の主体たることについては何人にも疑なくこの組合活動の主体にこそ組合存立の第一義が認められるのであつて、その財産的活動の部面は組合活動に附随する従属的な一面に過ぎない。かく考えるとき、組合の法人格の取得ということは単に財産法上における権利主体の面を明確ならしめる意味をもつだけであつて、組合の本質的な要請に基くものではないといい得る。従つて、組合が法人格を失うも組合活動の主体性を失わない限り、組合の存続には消長なきものといわなければならない。ただこの場合法人格の消滅により少くとも財産関係の面においては権利主体たる地位を喪失したのであるから、組合財産の清算を遂げ、権利義務の帰属を対外的に明確ならしめる必要があるのではないかとの疑問も生ずるが、実質的な権利主体の存する限り、敢て清算をなす必要はないというべきであろう」「このことは逆に法人格なき社団が法人格を取得した場合に、なんら特別の行為を要せず、前者の権利義務がそのまま後者に引継がれるものと一般に解せられるのとその軌を異にすべきではないともいい得るであろう」（東京地判昭二五・四・一四労民集一・二・二八八）。

(二)　組織変更　構成する労働者が実質的に同一であつても連合体と単一組合の場合には自ら性格を異にする。連合体の場合にはその構成分子は単位組合という団体であり個々の労働者は表面に現われて来ないのに反して、単一組合においてはその構成分子は個々の労働者であり下部組合は結局のところ組合員の集団的区分の単位にすぎないからである。

したがつて連合体たる労働組合を単一組合に改組するとき或はその反対の場合には、一応その組合が解散して新に労働組合を設立することを要するのではないかとの疑を生ずる。これに関し事案は主として労働協約の効力について争われている。そしてまた連合会よりは単一組合の方がより強い統制力をもち、いわばより高度の組織形態であるために、連合会を単一組合に改組するのが通例である。すなわち単一組合が連合会になる例は通常は単一組合の崩壊によつて連合会が生ずるために、形式的にも単一組合の解散、連合会の結成という形をとることが多いのに反して、連合会から単一組合への改組は、連合会の強化発展という方向において行われるのが通常であるために手続的にも解散・新設という形をとらずに規約改正・名称変更の形式をとることが多い。このような改組の手続を法律的にはどうみるか、そしてまた連合会が締結していた労働協約が改組後に効力を維持するかが争点となるのである。

日本セメント労働組合連合会は昭和二十二年十一月十八日日本セメント株式会社との間に労働協約を締結した。右協約の有効期間は昭和二十三年五月三十一日までであつたが、その後協約の定めるところにより六ケ月毎に延長されて結局昭和二十四年五月三十一日まで有効となつた。

昭和二十四年二月十五日から三日間にわたり開かれた全国大会で日本セメント労働組合連合会を単一化することを決定、まず十五日に連合会の解散を決議し、引続きその翌十六日単一組合としての規約の決定、役員の改選をしたのであるが、これをめぐつて前記労働協約の効力が争われた。この系争は単一組合と会社との間にではなく各支部と会社との間に行われたので数ケの判例をみている。そして、改組が形式的には連合会の解散決議をともなつたこと、解散決議と単一組合の設立とが同一会期中ではあるが日を異にしていることから事実認定に差を生ずるとともに理論構成にも差をみせている。

まず連合会から単一組合への改組が、解散・新設の形によらずに可能であるとするものがある。事実関係を明確にするため特に原名を用いる。

【9】「右連合会は多数の単位労働組合の連合体であつたが、日本セメント労働組合は直接各個の労働者を組合員とする単一の組合であることは申請人の自ら認めるところであるし成立に争のない疎甲第三号証によると後者は被申請人経営の工場事業場の従業員以外に、本人の意に反して被申請人（会社）から解雇された者及び組合の書記局員をも組合員としていることが疎明される。従つてこの両者は等しく労働組合であつてもその組織において相異り、法律上別異の性質を有することは正に被申請人の指摘する通りである。併し乍らこのことから直ちに法律上同一性を欠き労働協約の承継はあり得ないと断ずるのは早計を免れない。たとえば合名会社と合資会社とは互に組織を異にし法律上別異の性質を有するが一定の場合には法律上の同一性を保持しながら他に改組することが認められているのであつて、組織を異にし、法律上別異の性質を有することが直ちに法律上同一性を有しないことを意味するものでないこと容易に肯けるところであろう。問題は労働法上、前記連合会と日本セメント労働組合との間におけるような組織の変更が行われた場合に労働協約上の当事者としての地位の承継を認めてよいか否かであり、このことは一般私法上の理論から概念的にのみ考えず、団結権の保障、団体交渉権の保護助成によつて労働者の地位の向上をはかり経済の興隆に寄与せんとする労働組合法の目的に

立脚して考えなければならない。而して労働組合連合体は単位労働組合を連合することによつて間接に単位労働組合員たる労働者の団結をはかり、団体交渉における力と利便を得ようとするための組織であるが同じ目的は各単位組合の組合員をもつて直接の組合員とする単一労働組合を結成することによつても達せられるのであつて、団結せられる労働者の範囲が実質的に同一である限り、単位組合の連合という形をとるか単一組合の形式によるかは専ら便宜の問題を出ない。従つて若し一旦連合体の形をとつて出発した労働組合が単一組合の形式をとることになつても、団結せられる労働者の範囲が実質的に異らないという客観的要件と組合の同一性を維持しようとする主観的要件を備える限り労働協約当事者としての同一性はこれを認めて然るべきである」「前記日本セメント労働組合連合会は昭和二十四年二月十五日から三日間に亘り開かれた全国大会でその規約に目的事業の一つとして掲げられた「単一組合の実現」を達成するために規約の一部を変更し名称を日本セメント労働組合と改め」「その届出手続においても、前記連合会の規約並に名称変更、単位組合の規約並に名称変更の手続をとつていることが疎明されるから、この組織変更によつては本件労働協約は失効すること」はない（大分地判昭二四・五・一九労民裁判集四・一四五。同旨東京地決昭二五・一一・三〇労民集一・一一・一一三）。

前にも述べたように本件においては、同一会期中の異つた日に連合会の解散・単一組合の結成という二つの決議がなされたのであるが、右判決がこれを綜合して組織変更という一個の行為と認定した点は当を得ているものといえよう。同一事実に関する他の判決が或は「新に結成せられた日本セメント労働組合」と解したり（熊本地判昭二四・四・三〇・労民裁判集四・一三七）或は「解散と結成とが両日に行われその間に若干の時間的空白があつたものの、これは常識的には連続行為であるとの考えであつて」と述べている（福岡地小倉支判昭二四・五・二四労民裁判集四・一五九）のに比してより本質に近づいているものと考えられる。

ところで、労働組合の連合体から単一組合への改組あるいはその逆の場合を合名会社から合資会社への改組(商法一一三)あるいはその逆の場合(同一六三)に類比することは必ずしも当を得たものではない。後者の場合に構成員は実質的にも形式的にも変更はないのに反して前者の場合に実質的にはともかく形式的には差異があるからである。したがつて「甲組合は甲会社の従業員を組合員とする単一組合であつて、斯る単一組合がその組合員の決議によつて規約を変更しても、単一組合としての構成を変更し得るにとどまり、同一従業員が構成する労働組合とはいえ、他の組合が集つて規約を定め構成する連合体に変更することは法律上不可能である」との見解(大阪地決昭二四・八・一三労民裁判集六・一三五)も生ずる。

しかしながら本稿において再三繰り返し述べたように労働組合は本来労使関係の主体として設立されるものであり、組織変更の可能か否かも判例【9】の言うように「一般私法上の理論から概念的にのみ考えず」に労働組合の本質から考察すべきものと考えられる。その意味において前示判例【8】は正当と考えられる。この点につき次の判例は独自の理論構成をもつものとして注目されよう。

【10】「前示全国大会において組織した日本セメント労働組合は前掲連合会が被申請会社の各事業所労働組合を吸収して各工場従業員を直接組合員とする単一組合に改組したもの、即ち右連合会は解散したものでなく彼の会社合併の一態様である吸収合併の場合の法理に従うて規約の変更及び名称の改称をして存続し、日本セメント労働組合となると同時に各事業所労働組合は独立の労働組合としての性格を失い、支部として右単一組合の内部における一機構となつたものである」(広島地尾道支判昭二四・四・二二労民裁判集四・一一三。同旨柳川他一二六)。

【11】「然らば連合会時代の構成組合は如何なつたか……」「新規約……に支部に関係のある規定があり……矢張り従前連合会の単位組合であつたものをもその中に包摂統合するものであるということが首肯される。してみると新規約によつて見れば出来上つたものは、個々の人を組合員とすると同時に同じ個々人によつて組

> 織された組合をも組合員とするものであつて、労働組合法第二条に労働者が組織する団体と労働者が組織する団体の連合体とを混合したものであると見られる」「新規約から見た組合も従前と同じく矢張り連合会たる性格を持つて居り、それに個人加入と云うことが附加された丈であるから、之に因つて前後同一性を失つたと云うことは云えない（前掲福岡地小倉支判）。

いずれも理論構成に苦心したあとはみられるが、むしろ判例【9】のように組織変更が可能であるとわりきつた方が素直であろう。したがつて、いわゆる組織変更に際しては労働組合は消滅しないと解すべきであろう。

ただ、ここで注意を要するのは前掲判例【9】乃至【11】及びこれに関連して引用した判例はすべて「労働協約の主体」としての労働組合をとり扱つていることである。もちろん法律上同一性を維持しつつ組織を変更し得るとすればその同一性は全ての点について言い得るのであるが、労働協約の主体としてのみ同一性を認めるというのであれば、その他の点について如何という問題が生ずるはずである。例えば前掲熊本地裁判決などは前述のように、連合会の解散・単一組合の結成という日を異にする同一会期中の決議をそれぞれ独立した決議とし、単一組合は連合会が組織を変更したものでなく新に結成せられたものと認定しながら、なお、「その構成に於て被申請人会社従業員を主たる対象とし、その経済的地位の向上を主目的とする労働組合である点に於て旧連合会と実質上何等差異は認められないのであつて、労働組合法第二十三条（現行一七条）の規定等に窺われる労働協約の社会法的乃至団体法的性質に鑑み、斯る場合右協約は日本セメント労働組合に対する関係において依然その効力を維持するものと解するを相当とする」と述べているのであるが、前掲判例【9】【10】はともかく【8】なども、これと同趣旨と解せられないこともない表現を用いている。しかし、連合会解散と単一組合の結成が明白に別個の行為とみられるように時日を経て行われた場合は格別、さもない限りは連合会が消滅したと解すべきでなく、判例【9】も単に労働協約の主体としてのみでなく、完全に法律上の同一性を有すると述べているものと解してよいであろう。

上部団体が解散したときも下部組織は消滅しないことは前述判例【4】【5】において述べたが組織変更の場合についても同様である。連合体においてその構成団体であつた単位組合が組織変更によつて単一組合の一構成分子たる支部となつても、本部とは別個に支部規約を有し別個に代表者を定める等、独立の存在と認められるべき要件を具えているときは当該組合は何々支部と名称変更をすることはあつても、従前通りの労働組合として存続しているものと解すべきであり、前掲判例【9】【11】の他熊本地判昭二四・四・三〇（前出）もこれを肯定している。

(三)　労働組合の合同　労働組合の合同については労働組合法に規定はない。吸収合併、新設合併いずれの場合も商法一〇三条の如き規定はないが、これを肯定し、商法の合併の規定を類推適用して、労働組合の新設合同の場合にも合併された労働組合の権利義務は当然且つ包括的に新設された労働組合によつて承継され、したがつて合併された労働組合がそれぞれ会社と締結していた労働協約は新設された労働組合によつて承継せられるとした判例がある（名古屋地判昭二四・四・二二　五労民裁判集四・一二三）。

(四)　組合員の減少、欠如　組合員が存在しなくなつた場合に労働組合が消滅することはいうまでもないが、組合員が完全に欠けた場合でなくとも、労働組合が消滅したと認められることがあるとした判例がある。

【12】「乙組合に所属する組合員は次第にその数を減じ、本訴提起当時には被告等を除けば僅か二、三の者が同組合の事務所と称する本件建物に出入していたに過ぎず、且つ右建物も組合本来の目的とは関係のない方面に利用されていた事実、又昭和二十四年度迄の乙組合の組合費を被告等に於て徴収したことは認められるが其の後の組合費を徴収したことに対して何等の立証のない事実更に原告（甲組合）の求めによるも被告等が現在猶相当数存在するとする乙組合の組合員名簿を提出しないこと等諸般の事情を考え併せるときは前記分裂後の乙労組なるものは本訴提起の昭和二十五年四月当時は既に労働組合としても亦財産主体としても其活動を停止し実質上は完全に消滅に帰していた事実を認めることができる」（熊本地判昭二九・二・二三労民集五・一・一〇後記判例【15】と同一事件）。

事案は、労働組合が分裂（後述）した後、分裂派の甲組合から残留派の乙組合の役員に対して財産の引渡を求めたものである。判旨は、組合分裂の際の組合財産は分裂後に形成された各組合の共有となるから裁判所に対し分割の請求をなすべきであるとした後、共有の主体の一たる乙組合の消滅を認定して、結局全財産は甲組合の単独所有に帰したと断じたのである。

おもうに、財産主体としての労働組合は、右判示のようにその存立の基礎を失ったときはかりに少数の人間が残存していても就中本件のように組合財産の分割ということに関しては消滅したものと解すべき場合が生ずるであろう。しかし「労働組合としても」というのが労使関係における主体としてもとの意であれば疑問なきを得ない。組合財産分割に際しての主体としてはその存在を認め得なくとも、労働組合として存続し、団体交渉その他の活動を行うことを否定することは組合員が二人以上残存する限りできないのではあるまいか。たとえば労働協約の当事者としては組合員が甚だしく減少したからといつて労働協約当事者としての同一性を失つたり消滅したりするものではないと考えられる。組合員が全従業員の「僅か九分の一強」となつても労働組合は消滅しないとする次の判例がある。

【13】「甲組合が乙組合（第二組合）の分立により組合員の多数を失つたとはいえ、残留者の存する限り存続することは当然であつて仮令組合員数の増減が甚だしい場合でも、その一事のみから直ちに組合の同一性が左右されるものと考えることはできないから、本件の場合に於ても前記解雇当時甲組合は少人数ながら尚現存し、従つて本件解雇は当然前記労働協約第六条の拘束を受ける」（東京地決昭二四・一一・一労民裁判集六・一三）。

二　労働組合の分裂

一　分裂概念の発生とその背景

労働組合運動の動的性格からして、就中労働組合運動が多少なりとも一定の主義主張をもつ場合にはなおさらのこと、労働組合運動に分裂という現象が生ずるのは必然的な宿命といえよう。諸外国の例をことさら求めずとも、わが国の労働組合運動の歴史が如実にこれをものがたつている。

しかしながら、この労働組合の分裂という現象を法律的に考察する場合には、それは文字通りの分裂としては取扱われては来ていない。労働組合の分裂が労働組合運動の動的性格の中から生ずる結果として、それは労働組合自らの意思によつて、すなわち組合大会の決議等によつて一組合が数個の組合に分割されるというような場合は極めて稀な事例であり、通常は一組合の一部の組合員が別個の組合を結成することによつて行われる。したがつて従来は労働組合の分裂は、法律的には組合員の脱退と新組合の結成という二段の手続に還元されて処理されて来ていたのである（東京地判昭二三・四・一三労民集一・二・二八八・同旨吾妻二二七前掲判例【13】）。

判例が従前の態度を更めて、労働組合の分裂を新たな法律現象として解釈しはじめたのは昭和二十五年頃からのことであるが、それは次のような事情にもとづくものとおもわれる。

昭和二十三年にはじまつた労働組合内のいわゆる民主化運動は、労働組合内部で民主化運動派（民同）と反対派との激しい抗争を生みだし、その結果至るところで労働組合の分裂が起つたが、この頃の分裂は従前のそれと二つの点で質を異にしていた。その一つは、分裂する側の人数が残留する側に比して圧倒的に多数であるのが一般の事例となつてきたことであり（前掲判例【12】はその一例である）、他の一は、分裂がそれ以外には労働組合としての機能を作用させる手段のないような状態において生じて来たことである。後者について詳述すれば、単に組合内の不平分子である一部組合員が分裂するというのではなく、組合内における多数決原理が機能を停止し、過半数或はそれに近い数の組合員が反対派の協調を得られず、あらゆる努力にもかかわらず労働組合の運営その他の組合としての統一行動もとれず、労働組合の解散もできないという、分裂する以外に途がない状態において、分裂が行われることが多かつたことである。

このような状態の下における分裂を従前のように、脱退・新組合の結成という二段の手続に還元して処理するならば、少数派が故意に労働組合の運営を阻害して多数組合員を分裂せしめ、組合財産を独占することができるという不合理を生ずることになる。前述のように脱退組合員は組合財産に対して請求権を有しないからである

このようにして、昭和二十三年頃からはじまつた労働組合の分裂の特殊事情は判例の態度を変更させ、分裂という労働組合に特有な法律概念の追求へとむけさせたのであるが、さればとてこのいわゆる「分裂理論」はこの当時の分裂現象にのみ適用されるべきものではない。いわば、この当時の特殊な分裂現象が労働組合に特有な分裂という現象についての一般論的検討を促したということができよう。たしかに上述した昭和二十三年頃の分裂は民同派と反対派の抗争という特殊の事情を契機に生じてはいるが、同様の現象はそれ以外にも生じ得るのである。たとえば、甲乙丙の三支部からなる労働組合において、「すべての会議は、全支部の出席がなければ成立しない」旨の規約のあるときに丙支部が理由なく出席しないときには、それによつて組合の運営が不可能となるからである（大阪地決昭三二・五・一三労民集八・三・二五九）。

二　分裂の定義

前項において述べたように、分裂という概念は比較的新しい概念である。したがつてまずその定義を明らかにしなければならない。

組合員が脱退するというのは労働組合という主体は変化せず、その構成員が分離して行くことであるが、分裂とはその主体自体が分解することである。したがつて二個の集団に分解（分裂）した場合

に、その二個の集団と分裂前の労働組合とは同一性がない。すなわち一個の労働組合から二個の別個な労働組合が発生し、旧組合は消滅することである。

ところで、分裂というからには、相当多数の組合員が離脱することを要することはいうまでもないが、集団脱退と分裂とは何を基準として区別すべきであろうか。

前述したところから明らかなように、分裂概念は脱退概念によって処理し得ないところに発生した。したがつて集団脱退と分裂との区別も亦、分裂によらなければ労働組合としての存立乃至は運営が不可能な状態における集団離脱であるか否かに求むべきであり、且つその認定は相当厳格に解すべきものと考える。何となれば、離脱者のみの行為によつて残留者の集団の同一性をもその意思に反して失わしめることになるからである。より正確にいうならば、分裂は労働組合が機能を喪失し事実上の分裂に陥つているときにのみ認められるべきものであつて、分裂・新組合設立という手続は、この客観的事実を確認する形式的手続にすぎないものであり、その手続は事実上の分裂を法的な現象に高めるものではあつても、それによつて分裂という現象をつくりだすことができるものではないというべきであろう。

したがつて集団的分離といつてもそれが時間的に同一時期に、または極めて接近した時期に行われる必要はない。ある程度の時間の経過の中に逐次脱退した組合員が別個に組合を結成した場合でも綜合的に判断して分裂と認定することを妨げない。分裂は脱退・新組合結成によつて生ずるものではなく、客観的事実として発生し、脱退・新組合結成によつて確認されるものにすぎないからである（同旨柳川他・追補・三六二）。しかし判例は否定的である。

【14】「控訴人他五一〇名の被控訴人組合からの脱退離脱の態様は、単純な個々人の脱退の場合とはその趣を異にする。或る程度集団離脱の様相を呈してはいるけれども、さればといつて、その前後五ヶ月余に亙る期間の逐次脱退を一体として観察し、これをいわゆる組合分裂の現象として把握しようというのはいささか行き過ぎの観がある」（広島高岡山支判昭二六・一二・八労民集二・六・六九六）。

次に、分裂によらなければ労働組合としての存立乃至は運営が不可能な状態とはどのような状態かについて検討する。一般的にいつて、組合の方針に不満であるという理由で組合を離脱するときは、単に多数決に服することを好まないというだけのことであつて、集団的離脱であつても脱退と解する他はない。これに反して組合大会に於ける決定を実行することができず或は組合大会において議決することが不可能である場合などは分裂と解してよいであろう（同旨柳川他追補・三六二）。

分裂を認めた判例が一件ある。事実関係が複雑であるので、特に原名を用い且つやや長文にわたつて引用した上で検討しよう。

【15】「全逓信労組合は管理者の地位にある者を除く逓信従業員、組合及び本人の意思に反して従業員の身分を剥奪された者及び組合員であつた者で犠牲者扶助規程の適用を受けている者を以て組合員の資格とする労働組合で終戦後活溌な運動を展開して来たものであつたが、同組合の中央委員中には急進的幹部に対し批判的態度を採るものが現われて次第に勢力を結集し殊に国家公務員法、人事員規則により国家公務員の職員団体は人事院に登録しなければ法人格を認められないこととなり且つ昭和二十四年八月同組合の幹部の多数が定員法に基く行政整理により解雇された後は右両派の対立抗争は更に激化し、同年九月十二日より開催された上諏訪

に於ける同組合の全国中央委員会に於ては法内組合を主張する中央委員等が議場より退場する等の事態に立到つたがその後右法内組合派の者は正統派全逓信労働組合なる名称の下に全逓労組とは全然別個の運動方針の下に下部組織に働きかけ法内組合として組織を改める為に全国的な組織運動をなすに至り遂に同年十月二十二日より二十四日までの間熱海市に於て第八回全国大会の名称の下に大会を開催し、右大会において従前の全逓労組の規約名称を改めて全逓従組とする旨の決議をなし法内組合として人事院に登録して法人となり結局従前の全逓労組は法人格を持たない全逓労組と右全逓従組とに分裂した事実が認められる。

一方以上のような組合中央部の情勢を反映して労組熊本地区本部に於ても同年九月八、九日に開催された同年度定期大会に於て議長松村勇司会の下に法内組合として進むべきか否かについて激論が闘わされたが予定の会期中には遂に結論を見るに至らなかつた」「右九月八、九日の大会は前述の如く労組熊本地区本部が法内組合として進むか否かにつき激論が闘わされた結果同地区本部としては法内組合として進むことに多数の意見は一致したが当時猶中央の情勢は未確定であつたので同月中旬の上諏訪に於ける中央委員会の推移を見た上で最後的決定を為すこととしたが、右大会を閉会の形で終了させる時は爾後の大会が反法内組合派の反対により開催不能になることを恐れた議長松村勇を始めとする法内組合派の代議員多数の意見を以て無期休会の形で終会とする決議をなしたことが認められる」「法内組合を主張する代議員等が反対派の主張を圧え強引に右の如き決議を為した事実は、後の九月二十八日の大会に其のまま反映し、出席代議員が前述の如く著しく減少し而も其の内半数以上は前大会の出席者と異る顔触となつた事実によつても窺われる。従つて九月八、九日の大会に於ける休会の決議が数の上では原告主張の如く成立していたとしても以上認定した各事項を客観的に綜合する時は九月二十八日の大会が議長松村勇により招集されたこと従つて右大会の招集には組合執行部としては何等干与していないことは当事者間に争がないので、同大会が九月八、九日の大会とは別個に招集された労組熊本地区本部の大会としてもその効を持ち得ないことも当然である。然らば九月二十八日の大会に於て九月八、九日の大会の決議を確認し労組熊本地区本部の規約名称を改めて従組熊本地区本部と改称することに決議したとしても其が正当な労組熊本地区本部の決議となり得ざることは勿論である。」

「右一連の事実よりすれば結局前記九月二十八日の大会を契機として従前の労組熊本地区本部は完全に分裂し之と別個の名称、組織、規約及び代表者を有する従業員の集団が形成されたものというべく、而して其の実体は其の規約、組織等に徴し一の独立した労働組合であることは勿論で之が従組熊本地区本部即ち原告である」

「被告等は前認定の如く労組熊本地区本部が分裂し原告即ち従組熊本地区本部が形成された後に於ても猶残存した労組熊本地区本部の役員又は組合員としての地位は保有していたと言わざるを得ない。尤も右残存労組熊本地区本部が従前の労組熊本地区本部其のものでないことも敍上分裂の事実に徴し論を俟たないところである」（熊本地判昭二九・一二・二三労民集五・一・一〇前掲判例【12】）。

右判旨が「分裂」を認定する論拠としているのは、要するに、名称規約を変更する形式をとつた大会が、その実正式の大会ではなく、新組合の結成であるという事実のみにかかつているようにおもわれる。しかしながら上来述べているようにそれは「分裂」ではなく、単なる集団的脱退・新組合結成にすぎない。事実上の分裂というのであればともかく、右判旨は明らかに法律的に分裂を認定しているのであるから論旨正当とは言い難い。

尤もわざわざ長文にわたつて引用した判示事実を詳細に検討すれば、中央における分裂――これも分裂といい得るか否かは問題ではあるが（後掲判例【17】参照）――、法内組合派が多数でありながら執行部が少数派によつて占められているために正式の大会の招集が不可能であること、大会を再開しても反対派が出席せずに成立の可能性のないことなどがうかがわれ、分裂を認定しても差支ない事案ではないかと考えられるのであるが、この点の審理をつくさずに新組合の結成のみをもつて「法律上の」分裂としたかのような表現を用いていることは理論的に正確を欠くものといえよう。同じく分裂という表現を用いても次の判例は必ずしも法律上の分裂といつているのではないと考えられる。

【16】「新組合の組合員は被申請人組合執行部が闘争第一主義の方針をとり非民主的な方法で組合を指導したこと及び同組合が合成化学産業労働組合連合に加盟したことに反対して被申請人組合を脱退し新組合を結成したもので独自の自主的な意思によつてなされたものであることが認められる。従つて申請人会社から新組合結成の働きかけのあつたことは認められるが、新組合は右の働きかけとは別個に新組合組合員の自主的意思に基いて結成され且つ被申請人組合の罷業の効果を減殺することのみを目的として結成されたものでないこと明らかであるのみならず後に述べる如く被申請人組合は統一的基盤を失い分裂し法の保護を受けるに値する新組合が結成されたものと認められる」

「このようにして多数の組合員が集団的に脱退したために前記条項（ユニオン・ショップ条項）の目的とする組合の統一的基盤が失われてしまつたような特別の事情においては最早前記協約条項の効力は及ばないものと解するを相当とする」（前橋地判昭二八・一二・四労民集四・六・五二一）。

すなわち、組合の方針に反対して新組合を結成したものであつて、正に集団脱退にあたるものであり、右判旨のいうところも、ユニオン・ショップ条項の働く余地のない「事実上の分裂」を生じたということであり、本稿にいうところの分裂を認定したものではないであろう。前掲判例【5】及び高松地判昭三〇・三・一四（労民集六・二・一二九）東京地決昭二四・六・四（労民裁判集四・一七八）等が理由中に用いている分裂なる語も同様に解する。分裂と集団脱退の差についてはむしろ分裂を認定しなかつた判例において理論的検討が行われている。前掲判例【15】の前段にあたる、中央における分裂をとりあげた次の判例は好例である。

【17】「全逓労組は国鉄労働組合と並んで終戦後におけるわが国労働組合の中で最も活潑な運動を展開してきたが、昭和二十三年八月下旬頃組合内部に全逓再建同盟と称する反共派グループが結成せられ、従来の全逓労組の運営その他運動方針に対し批判的態度をとつてきたところ、昭和二十四年八月いわゆる定員法に基く行政整理により被申請人等を含む中央執行委員の大半が解雇せられるや、右再建同盟派はこれを契機としてにわかに勢力を得、強力に反対派と相拮抗するに至り、同年九月十三日より上諏訪において開かれた第九回中央委員会においては紛争の末、百八十余名の中央委員中右再建同盟派に属する七十余名が退場し、爾来再建同盟派は正当派全逓信労働組合と称し、本部を東京都台東区浅草郵便局内に置き法内組合の組織を目指して、下部組織に対し反対派と絶縁して自己の傘下に集るように働きかけてきたが、遂に同年十月二十二日より四日間に亘り熱海市において第八回全国大会の名称の下に大会を開き、全逓信労働組合の名称を全逓信従業員組合と改称する旨の決議をなし、中央執行委員長以下各役員を選任し、従来の全逓労組とは異る運動方針の下に全然別個の行動をとり」「下部組織においてもそれぞれ全逓労組および全逓従組の各支部として所属分野を明確ならしめているものが多いこと及び申請人等は終始再建同盟派と行動を共にし来り、現に全逓従組の所属組合員であつて前記熱海大会においてはその役員に選任されたものであることが認められる。

以上認定の事実に照せば全逓労組とは全く別個の団体を形成するに至つたものと解するのが相当であり、しかも両組合が右認定のように相対立抗争する団体である以上同時に両組合の組合員たる資格を兼ねることは不可能であるから、申請人等一派の者は前記熱海大会における全逓従組の結成を契機として全逓労組よりの脱退を表明したものと解するのが相当である。」

「申請人等があくまでも全逓労組の組合員たる地位を保有することを欲するならば、まず規約の不備を難ずる前に組合全体として自主的になんらかの方法により統一全国大会開催の途を見出し、しかる上においてその態度を決定するよう努力を惜しむべきではなく、またいかなる方法を以てしても到底組合の自主的解決を望み得ない場合にはそれこそ非常措置として裁判により権利関係の確定を待つべきであるに拘らず、かかる方途に出でず自己の見解を固執して別行動に出たことは早計のそしりを免れない（東京地判昭二五・四・一四労民集一・二・二八八）。

右判旨は結語において「全逓従組は全逓労組から分裂した全く別個の組合で」あると述べてはいるが、ここにいう分裂とは、単に別個の団体が生じたことをいうだけのことであつて、本項にいうところの分裂とは意義を異にすることは、つづいて「組合分裂の場合に組合財産の帰属をいかにすべきかは一考の余地ある問題ではあるが、組合が社団たる以上現行法の建前の下においては当然には脱退者に組合財産の分割請求権はない」と述べて申請を却下しているところからも明らかであつて、判例【16】等の用語例と同一と解される。したがつて「全逓労組の組合員たる地位を保有することを欲するならば」として、申請人等の努力すべきことを述べた事項は、また脱退と「分裂」とを区別すべき基準としても考慮されるべきものであるとしてよいであろう（同旨柳川他一四三）。なお前掲大阪地決昭三一・五・一三参照。

三　分裂と組合財産の帰属

前述のように労働組合は一の社団であり、法人である場合はその単独所有、人格なき社団である場合は総有（若しくは合有）の差はあつても実質的にその財産は社団そのものの財産であり、各組合員はその財産上に持分を有せず、脱退者は規約に特別の定のない限り組合財産の分割請求権を有しない。

しかしながら分裂の場合は財産主体たる労働組合自体が消滅するのであるから、財産の帰属についても自ら趣を異にする。そして、これは労働組合の分裂を法律的に如何に解するかによつて結論を異にする。

すなわち分裂を、組合が統一体としての機能を停止したことに求め、社団自体が解体せられたものと考えるならば、前述した組合の解散の場合の組合財産の帰属に準じて考えるべきものとなる。すなわち法人たる労働組合の場合は労働組合法一二条二項、民法七二条が準用され、法人格なき組合の場合は組合規約に特別の規定なき限り、各組合員はその出資の価額に応じて組合財産の分割請求権を取得することになる（柳川他・一四四、同補・三六四、反対前掲判例【6】）。この場合、分裂の核心は組合が統一体としての機能を停止し解体することにあるのであつて、その後に又はその際における新組合の結成は分裂にとつて本質的なものではないと解すれば、「分裂後の各組合がその組合の資格においてその組合のために右組合財産の分割を請求する」ことはできないということになろうか（柳川他・一四四）。

これに反し、分裂を財産主体の解体ではなく、文字通りの分裂と解するならば、分裂後に新な組合が生ずることは正に分裂にとつて本質的な事象であり、財産は組合員個人について分割請求権を生ずるのではなく、分裂した主体それぞれの社団財産に分割されるということになる（同旨高島・判タ五六・四一）。次の判例はこの線に沿つたものである。

【18】「組合分裂の際の組合財産は……分裂後形成された各組合の共有となり、協議により之を分割するか又は協議の調わないときは、裁判所に対し分割の請求をなすべ」く、「若し財産分割の段階に至らないうちに他の組合が解散したり又は事実上消滅することがあれば、共有財産は、其のまま残存組合の単独所有に帰する」（前掲判例【15】）。

後者の見解の方が現実に即した妥当な結論ということができよう。ただ、これによると分裂前の組合の組合員の全てが分裂後に生じた組合のいずれかに所属することが予定されるのであり、そのいずれにも所属しない組合員については脱退と看做し、組合財産に対する請求権を生じないことになるのが残された問題となろう。

前出、大阪地決昭和三二・五・一三（労民集八・三・二五九）は、単一組合の分裂に際して、旧単一の支部（分裂により独立した労働組合として名称変更）を申請人とする旧単一組合財産に対する仮処分申請を容認している。

しかしながら最判昭和三二・一一・一四第一小法廷（前掲判例【7】）は、法人格なき労働組合からの脱退の際の組合財産の帰属につき、それが通常の脱退であるか、解散に準ずる脱退すなわち分裂であるかを問わず脱退した元組合員が当然にその脱退当時の組合財産につき分割請求権を有することを否定した。

【19】「原審の確定したところによれば、本件債務者組合が法人格なき組合であり、昭和二十五年七月二十三日当時及びその前後にわたり、その実体がいわゆる権利能力なき社団であつたことは当事者間に争がない。思うに、権利能力なき社団の財産は、実質的には社団を構成する総社員の所謂総有に属するものであるから、総社員の同意をもつて、総有の廃止その他右財産の処分に関する定めのなされない限り、現社員及び元社員は

当然には、右財産に関し、共有の持分権又は分割請求権を有するものではないと解するのが相当である(なお、法人格を有する労働組合については労働組合法一二条二項により、民法七二条が準用せられ組合解散の場合の残余財産の帰属については、民法七二条三項の準用により定款をもつて帰属権利者を指定せず又はこれを指定する方法を定めなかつたときは、主務官庁の許可を得、且つ総会の決議を経て、其の法人の目的に類似した目的の為に其の財産を処分するものとせられているところと比照し、本件のごとき法人格なき労働組合についても、たとえ、所論のような解散に準ずる分裂の場合であつたとしても、その残余財産を脱退した元組合員に帰属せしめることについては、すくなくとも分裂当時における総組合員の意思に基づくことが必要であつて、これなくしては組合員が当然にその脱退当時の組合財産につき、共有の持分権又は分割請求権を有するものと解することはできない。)　しかるに本件においては、原審の事実摘示によれば、昭和二五年七月二三日当時又はその頃債務者組合の組合員全員により組合財産の処分に関し何らの決議をしたことのないことは当事者間に争がないのであるから、組合員全員の同意をもつて本件組合財産の総有の廃止その他の処分のなされなかつたことは明らかであつて、従つて、上告人外五一〇名各自が、所論のように、当然に債務者組合財産の上に共有の持分権又は分割請求権を有するものということはできない。それ故、所論上告人外五一〇名の債務者組合よりの脱退が、所論のいわゆる分裂に該当するかどうかを判断するまでもなく、本件仮差押決定はこれを取り消し、債権者の本件仮差押申請はこれを却下すべきもの」である(集一一・一二・一九四三)。

すなわち右判旨によれば、法人格なき労働組合の財産所有関係を総有と規定した後、解散の場合であると、脱退の場合であるとを問わず総員の意思に基づく決定がなければ組合員個人に財産分割請求権を生ずることはないというのである。しかも傍論ではあるが右の結論をうらづけるものとして法人格を有する労働組合についての民法七二条の適用を引用するのであるから結局において法人格を有すると否とを問わず、いわゆる「分裂」という現象を法概念として把握することを拒否したものということができる。従来下級審においてさまざまの角度からの理論構成についての努力が行われて来たのを一切否定し去つたものであつて、判例的には分裂について一応の終止符がうたれたことになるわけであるが、労働組合運動の動的性格からみて、このように形式的にわりきつて足るものか疑問はなお残るところであろう（本判旨については宮島・季労二七号に詳細な研究がある）。

四　分裂と労使関係

労働組合の分裂と労使関係についても、前項において述べたと同様のことが言い得る。すなわち、前者の見解に立てば「分裂とは労働組合内部の思想的対立等から組合員が組合内部において相拮抗して、組合内部に異質的集団が成立し、組合が一の統一体として存続活動することが不可能となり、統一体としての存在価値を失い、その結果その異質的集団が組合を離脱する現象をいう。而してこの分裂現象の場合には組合は既に統一体としての実体的基礎を失つているのであるから、もはや残存組合は分裂前の組合と同一性を保つものとは認め難く、従前の組合と使用者との間に締結せられた労働協約も分裂により消滅に至るものと解する外はない」（柳川他・追補三六一、同旨柳川他・一四〇）ということになる。但し労働条件等の規範的部分に関する余後的効力については別途に考うべきである（柳川他一四一）。

これに反して、分裂を基体の消滅と解さず、基体の分裂と解する後者の立場からすれば労使関係における権利義務は、事情変更の原則により変更をうける部分を除いてはそれぞれ分裂後の各組合に承継せられると解することになろう。

この点については未だ判例をみない。分裂後の労働協約の効力を論じているかの如き観のある名古屋地判昭二三・一二・一〇(前掲判例【5】)、東京地決昭二四・六・四(労民裁判集四・一七八)のいずれも、単なる集団脱退の意味で分裂という表現を用いているにすぎないことは前に述べたところである。判旨【19】は、単に財産の帰属についてのみでなく労働組合の分裂という現象を法的概念としてとらえること自体を拒否したものであることは前項に述べた。もちろん厳密にいえば財産の所有関係についての角度からの判断であるということはいえるが、それにしても労使関係についての判断にも重大な方向づけを行うものであることは否めない。すなわち、この立場に立つならば、分裂という特別の考慮をせず脱退の場合の脱退者と使用者との関係という一般的事例に還元されてしまうことになるであろう。

御用組合

瀬元美知男

はしがき

御用組合は組合運動の発展に対して固く閉ざされた門であり、厚い壁である。しかも身分的従属関係の残存することや企業別組織の故に我が国においてはそれはたやすく創り出される。しかしこの忌むべき無数の堡塁を法の力で破壊し、健全な労使関係発展への素地を招くことは容易ではない。

法が力をかすためにはまず御用組合とは何かを決めなければならないが、何処まで御用化しているものを御用組合とすべきか、またこのようにして決められた雛型に合致するものをいかにして認定するのか、認定されたものをどのように処置すべきか。これらは何れも法が御用組合問題の解決に乗り出す限り明瞭にしなければならないところであるが、難問たることを失わない。また仮にこれらの難問が明らかにされたとしても、法が力を振おうとする対象はその閉鎖的性格のために容易には法の前に立ち現われないであろう。むしろ法が関心を呼ぶような御用組合であればあるほど、かえつてその閉鎖性の完全性の故に法との間の懸隔を深くして法の前には引き出されないであろう。恐らく無数に存在すると思われるのに、御用組合についての判例・裁定例が著しく少ないことはその例証のように考えられる。

このように思いめぐらすと、法によつて御用組合問題を処理しようとすることは労多くしてその割に実りが少ないようであり、この問題に対しての法の力の限界に思い到らざるを得ない。御用組合の囲みをとく真の力は、労働者自らの団結意識の昂揚の中にのみ見出されるであろう。

（昭和三三・一　記）

御用組合が法的規整の対象として問題になるのは、国が団体交渉助長策を採つたときからである。蓋し団体交渉を助長しようとする以上、団体交渉の一方当事者である労働組合が使用者と独立対等の立場で交渉しうるような存在であるべきことは極めて当然の要請となるが、御用組合はこの要請を裏切る存在であるからである。

御用組合は元来被用者代表制が変質してきたものであるという沿革からして、その組織の範囲は一企業内の労働者に限定せられる。この意味においてそれはいわゆる会社組合である。会社組合が交渉団体として多くの欠陥をはらんでいることは否めないし、交渉団体として望ましいものでないことは明らかであるが、これだけにとどまるならば敢て法的に非難さるべき対象とはならない。御用組合がそれとして特に非難の対象となるのは、右のように会社組合の外形をととのえ表面的には労働組合としての形式を具えながら、しかもその実質においては使用者意思に支配されその意図のままに動かされており、労働者のための交渉機関として機能しえない存在であること、予定されている自主的な交渉を潜脱するための機関に堕しているところにある。したがつてそれは似而非組合とも呼びうるが（末弘・労働組合法解説はしがき二頁・本文十六頁など）、より適確には会社支配組合ないし傀儡組合の名に値いするものであり、端的に御用組合の名が一般的に通称となつている訳である。

そこで御用組合とは、「多かれ少なかれ使用者の意思の支配を受け、労働者の機関としての自主性を失つた組合、極端にいえば使用者のかいらいとなつた組合である」と定義することができ（福島「御用組合」末弘論文集三六五頁）、国が団体交渉助長策をとる以上それはまず性格的に違法視せられなければならない存在であるということができる。

さて団体交渉助長策をとる以上、その主体として活躍すべき労働者に対し、又その結合体に対して団結権その他の団体行動権が保障されなければならないことは当然の帰結である。ところで御用組合を創造しようとするとき使用者は、その意をむかえない労働者を解雇しその他これに不利益取扱を与え、既存の自主的組合があるときはこれを弱体化ないし解消に導き、労働者の意思を無視して御用組合への加入強制を行うし、一旦御用組合が成立した後にはこれが瓦解を防止するため、内部においては自主的活動をなす労働者を探知ないし監視し、これを発見したときは早期に企業外に摘出し、外部に対しては組織化活動を浸透させようとする自主的組合に圧迫を加えて接近を拒否するのが、通常慣例的に見受けられる現象である。次の判例は当該組合を御用組合とは断言していないが（後述二の二(一)参照）、その認定するところは右の事情をよくあらわしている。

【1】「右昭和二五年一〇月の組合役員らの大量解雇は直ちに組合の反対にあいその間しばらく抗争が続いたが結局原告会社が強力に押切つて組合を承認させその意図を貫徹した。組合は従業員三〇人に対し一人の割合にも及ぶ大量の精鋭分子を失い、それまで関西における最も尖鋭な労働組合とされていた同組合もこれにより著しく弱体化し、いわば勢にのつた原告会社との間に力の均衡が失われるにいたつた。その組合の弱体化はまず執行部の軟弱となつてあらわれその後も組合は原告会社との間に昭和二六年八月頃飯尾製飯課長配置転換反対、夏季一時金要求、昭和二七年三月結婚資金交通費の支給減額反対、社宅の家賃値上反対、昭和二七年五

月五百円賃下反対等の問題で会社と対立し、そのうち飯尾課長配置転換反対の際は闘争宣言をも発して要求貫徹の態勢を盛上げたのであつたが、結末はほとんどすべて会社のいうなりになつてしまつた。その結末はともかくその過程において特徴的なことは、執行部が組合員の要求のもり上りに対し、いわば最後のどたん場で急に腰くだけ的に会社の主張をのんで妥協し、組合員に肩すかしの感じを与えていたことで、そのために組合員の間に、組合長らが会社となれあい、はてはその度に会社から金銭を受け取つているとの声さえ起させ、自らの組合を御用組合とよびこれに対する不満を低迷蓄積させつつあつた。

このことは原告会社がその間に組合に対して行つた対抗策と表裏をなしている。原告会社は、前記組合役員らの大量解雇により組合の執行部をいわば壊滅させた後、その衝撃の下に無競争で選ばれた、組合長城戸三寿二（当時五八才）を信頼し、また同人を中心とする常任委員ら執行部の現状に満足していたので、改選期にそれに対立して立候補した者に、ある場合は転勤または退職させる等の圧迫を加えてその立候補をやめさせ、また会社に好都合と思われる者を立候補させて之を応援するなど、しんらつな干渉を加えて右組合長ら執行部の温存に成功していたものであつたかくして組合の幹部を大体において会社側に確保するとともに、原告会社の関心は組合における下部組合員大衆の動向に向わざるを得ず、組合員のうち会社に抵抗した活溌な言動をする者が現われてその言動が組合内において組織化され一般化されるのを妨げる必要があつたわけである。そこで原告会社は組合員の職場会議における発言や、組合の委員会における各委員の発言内容などを、組合員も驚くほどの敏速さをもつて探知し、活溌な言動のある者に対しては、あるいは職制上の上長から警告したり、無理な配置転換をして退職させたり、時に密殺と呼ばれる任意退職の形をとつた解雇を行い、これに牽制されて組合員の職場また委員会大会等における発言も役員に立候補することも低調となり、組合活動に関与せんとする意欲を委縮せしめる結果となつていた。

こういう情勢の中で組合に対する現在の優越関係を維持せんとする原告会社としては、組合内部において執行部が下部の組合員大衆からもり上る力によつて圧倒され支持されていきおい変質硬化せざるを得なくなる事態となるのを未然に防いでいかねばならないわけで、そのためには何よりも組合内部における組合員個々の言動に最も警戒の眼を注がねばならないことになるわけであつて、原告会社が上記のように組合員の言動を敏速に探知していたことなどはこれに符合する原告会社の態度を物語るものである。

そうすると労働組合法第七条第一号にいう労働組合の正当な行為をしたことの故をもつてする解雇、いわゆる不当労働行為たる解雇が行われるとすると、この場合組合員の組合内部における言動をねらつて行われる可能性こそ最も強いと考えなければならない。言葉をかえていえば、不当労働行為たる解雇は組合活動を活潑に行う者に対して向けられるのが普通であるが、それは活潑な組合活動を使用者が自己に不利だと考えるからであり、本件の場合原告会社が自己に不利だと考えるような活潑な組合活動は、会社と組合との団体交渉などの面にあるわけではなく、主として組合内部の組合員の言動の面に存したということが出来るわけである。

そこで前記小林治雄、土井政一に対する解雇が同人らの組合活動を原因としたものか否かにつき同人らがまず解雇の原因となるような組合活動をしたか否かを問うに当つては、組合内部における言動がこの場合重要なものとしてとり上げられなければならないこととなる」（大阪地判昭二九・一二・二七労民集五・六・七一〇）。

したがつて御用組合はその存続の過程において労働者の労働三権の侵害を不可避的に随伴するものであり、それは前述のように性格的に違法性を帯有する存在であるというにとどまらず、必然的に労働三権侵害の機能を伴つている点において違法性をもつ存在である。

御用組合とはこのような違法性をもつ存在であるところから、旧労組法は組合の設立について届出主義をとりまずこの段階で御用組合を選出排除することとするほか、その後御用化したとき随時これを排除することとし、解散主義をもつてこれに臨んだ。しかしこれは労働組合の使用者に対する自主性の確保を尊重する余り、労働組合の自主性として確保されるべき重要な一面である国の介入を誘致するという結果を認めることである。そこで後に届出主義を廃し、御用組合に対する解散主義も取り止めることとされ、現労組法に至つている。

そこで現労組法の下においては、その存在自体を端的に否定しないこととしたが、性格的に右に述べたような違法性をもつ御用組合を如何に取扱うべきかが問題となつた。第一にそれはあらゆる面で全く法的保護を享受できない存在とすべきかどうか。これは裁判所によつて決定されるべきことであつた。第二にその存在はただそのままに放置されたままでよいか。この点について労組法は資格審査制度によつて間接的に自主化を強制することとし、この存在の解消を図ることを労働委員会の任務とした。またそれが労働三権を侵害する機能を営む点については、個人に対する不利益処遇は裁判所によつても有効な救済が与えられないではないが不充分であるので、労組法は不当労働行為制度を創設し、労働委員会の弾力的な行政的救済により被侵害者の利益の保護が図られるよう考慮した。そして七条三号事件における被侵害者保護のためにはその救済はいきおい御用組合の帰趨に触れるような内容を持つことになつた。したがつてこの面からも御用組合の自主化ないし解消化が行われることとなつた。

かくて御用組合問題は、問題とせられる違法性の異なるにつれて、或は裁判所により、或は労働委員会によつて取扱われることになり、したがつてその取扱の前提として、御用組合の認定もまたこれら二つの機関によつて行われることとなつている。御用組合が如何に取扱われるべきかをめぐる問題点は後に述べることとし、御用組合認定の問題から入ることにしよう。

二　御用組合の認定

一　認定の要件――労組法二条但書一号二号の要件性

労組法二条は、同法にいう労働組合とは自主的なものでなければならない旨を定めている。労働組合についての自主性はいろいろな面に対して考えられるが、それが交渉団体として設立されるものであるという点からは、特に使用者に対する意味での自主性の有無が問題になる。労組法二条も主としてこの面の自主性に着目して制定せられたものと解せられる。

御用組合と呼ばれるものは、組合の名が冠せられているように一応表面的には労働者の自主的に組織する労働組合らしい装いをもつていながら、その実使用者意思によつて支配され、労働者の自主的団体として機能しえない存在のことであつて、その故に会社支配組合ないしかいらい組合ともまた似而非組合とも呼ばれるものであつた。

そこで御用組合とは、法的には、労組法二条の要請する自主性をもたない非自主的組合ということになる。労組法二条は自主的労働組合たるの要件として、本文に積極的要件を、但書一号二号に消極的要件を掲げているから、つまり労組法二条の規定の建前からすれば、前の要件に該当しないもの或は後の要件に該当するもの、そのいずれであつても即ち御用組合ということになり、労組法上の労働組合ではないことになる。

ところでここに積極的要件として掲げられているものは抽象的な自主性の要求にすぎない。したがつてそれはいかなる具体的基準によつて御用組合が認定されるのかについて問題を後に残してはいるが、この点を別とすればそれ自体御用組合認定の要件として特に問題とする余地はない。これに反して消極的要件といわれるものは二つの具体的な基準であるため、それが果して御用組合認定の要件として妥当するかどうかが問われることになる。この点について学説をみると消極的要件として挙げられているこの二つの具体的基準はいずれもそれに該当することが必ずしも御用組合と断定するに足りないものであること（野村「労働組合の自主性について」早稲田法学二四巻三・四冊三一二頁以下は、旧労組法改正論に対する批判の形で我が国の組合の実態からこれを明らかにする）、労組法二条における組合の定義が本文のみならず但書一号二号までも含むものと解すると法上の組合の範囲が極度に狭くなり法適用上不都合な結果が生ずること（末弘「労働組合の定義」法律時報二三二号四六五頁、なお浅井「労働法学界」法律時報二三五号六七六頁以下特にその六七八―九頁参照）などの理由で、組合の自主性判断の基準は本文のみで足りるとし、但書一号二号についてはその要件性を否定する説と、これら基準として示されるところはこれに該当する場合何時御用組合となるか分らないような御用化の危険性の高い事実であるから、立法論的に当否の問題はあるが一応これらの基準に対しその要件性を認め、よつて生ずる法適用上の不都合は別にそれとして考慮すれば足るとする肯定説（例えば石井「労働組合の資格と労働法規の適用」法協六七巻六号五〇三頁及び同労働法一〇一頁以下参照）とが対立し、これらの説に対して、組合法は二条の規定を五条一項との関係においてのみ考えているとし、組合の自主性判定の基準は本来は本文の要件のみで足りるのであるが、五条一項の資格審査を考えるが故に法は特に但書一号二号を加えたものであり、但書一号二号は資格審査の場合に限つて要件性が附与されるにすぎないとする説もある（吾妻・条解三二頁及び青林労働法一一五頁以下参照）。また以上の説が但書一号二号を一括して取扱うのに対して、但書一号についてはそこでいう「使用者の利益を代表するもの」に含まれる具体的範囲が問題になるがその要件性は肯定せらるべく但書二号についてはその要件性を否定していると見られる立場もあるが（例えば磯田「改正労働組合法の若干の問題」社会科学研究二巻一号九二頁以下。野村・前掲論文もこの立場かと思われる）、この立場は基本的には否定説と立場を同じくするものと考えられる。否定説は実質的御用組合のみを御用組合とし、労組法二条本文のみを組合の定義規定とすることによつてこのような御用組合を抽出しようとするものであり、肯定説は二条の規定そのままを定義規定として認めようとするものであり、その結果、否定説において御用組合とせられる実質的御用組合のほかに、否定説からすれば形式的御用組合ともいわるべきものをも御用組合の中に包含せしめることとなる。これに対し但書一号二号について資格審査の場合に限つて要件性を認めようとする説は、一般的には労組法二条本文のみを組合の定義規定として認めている点では否定説に近く、資格審査の際には但書一号二号の要件性を認めるため御用組合とされるものの範囲については肯定説と同一に帰する。したがつてこの説はいわば折衷説ということができよう。

判例はこの点について但書一号二号の要件性を否定し、本文の規定のみに要件性を認める立場を一貫しており、学説における否定説と立場を同じくしている。この点に触れる最初の判例は、但書一号に該当する労働組合に係る場合においては不当労働行為は成立しないかが争点となつた事案であつたが、これに対し、

【2】　「申請人等所属の日本セメント労働組合は本件解雇当時被申請会社の従業員中課長代理、係長、主任

及び警務の職にある者の参加を許していた。然しこれらの職にある者が労働組合法第二条但書第一号所定の監督的地位にある労働者乃至使用者の利益を代表する者であるかどうかは暫らく措き、仮にそうであるとしても日本セメント労働組合が同条本文に所謂『労働者が主体となつて自主的に労働条件の維持改善その他経済的地位の向上を図ることを主たる目的として組織された団体』であることは極めて明白である。而して同法第七条第一号の不当労働行為が成立するには右の如き労働組合であれば十分であることは同法第五条第一項但書からも理解されるところであつて、若し被申請会社の主張する如く同法第二条本文に該当しても同条但書第一号の監督的地位にある労働者乃至使用者の利益を代表する者の参加を許している組合は労働組合法にいう労働組合に該当しない（但書第三号及び第四号の団体は当然に本文の要件を充さないから右第三号第四号は度外視する）から同法第七条第一号の不当労働行為も右の如き組合より組合員に対しては成立しないというが如き極めて形式的な論法を採るならば逆にこれと同様の論法で地方公共団体の警察吏員及び消防吏員は法外組合ならば結成加入してもよいことになり（同法第四条）、法外組合と使用者との労働協約は書面に作成し両当事者が署名することを要せずすなわち口頭だけで効力を発することになり（同法第十四条）、又同法第十五条の規定により制限されることなく法外組合との間の労働協約は三年を越えても有効に存続し且つ自動延長されている場合でも一方的に破棄することはできなくなる等その他却つて不当な結論に到達するから被申請会社のこの点に関する主張は採用し難い」（東京地決昭二五・一・三〇労民集一・一・一三）。

としている。この判示は不当労働行為の成否に関連してなされたものであるが、別にこの面に関する場合だけでなく、広く二条本文のみを組合自主性を検する要件としようとするものであることは理由として掲げるところから明らかである。そしてその後この判示に反する判例をみない。経営補助者を組合員とする職員組合で御用組合と認定せられた例があるが、その場合においても、

【3】「右職員組合は、経営補助者を組合員としかもこれらのものが、組合役員の大半（現在では十名中九名）を占め、且つ、これらの役員によつて、組合の業務が運営され、組合活動が行われていることにかんがみれば、右職員組合は、これを「労働者の自主的な団体」（労働組合）であるということはできないであろう。（経営補助者が組合員となつているのは、被申請人会社に、中堅層を欠き、これがため、若年者に組合の運営をまかせておくときは、会社と組合との協調に支障をきたすので、この弊害を除去する意図に基くものであることは、うかがえるが、その意図はともあれ、このような多数の経営補助者をもつて支配する場合には、労働者の団体は、その自主性を失わざるを得ないのである。けだし、使用者と相対立する利益を代表する組合だけが自主性を持ち得るものといい得るからである。）」（東京地決昭二五・五・八労民集一・二・二三〇）。

とされており、御用組合とせられたのは、経営補助者を含んでいること自体からではなくて、むしろそれらの者が主体になつて運営されていることによつて認定されたものということができる。ただ多少疑問の判例として、

【4】「申請人等の主張する第一の解雇無効理由につき、被申請人において申請人等の属していた北国銀行従業員組合は労働組合法第二条に該当しない非自主的組合であつて、かかる組合には同法第七条（第一号）にいう「不当労働行為」の問題は生じないというから果して右組合はいわゆる法外組合であつたかどうかと併せ、この点を考えるに、労働組合法第二条の法意は使用者の利益と密接に関係ある者が組合に加入しているときは使用者と組合の利害相反する場合に其の職務上の義務と組合員としての誠実との間に矛盾を生ずることを防止し一面組合の自主性を守ると共に他面使用者の利益をも保護しようとするにあるのである。然るに北国銀行従業員組合には課長代理、人事課長代理、検査役等がその組合員とされていたことは申請人等においても別に争わぬところであるが、成立に争のない……号証を綜合、考察すると、本件組合には従来組合員中に人事課長秘

書役等が加入していたに拘らず現行労働組合法の施行を予想しこれ等の者を組合員から除外し以て組合の自主性を計つたのであるが其の際人事課長代理等が残存したけれども会社側よりは何等其の除外を要求した事跡なく而も組合は毫も所謂御用組合となることなく自主的活動をなして居たこと従つて右課長代理等は其の地位名称の如何に拘らず会社に於ける実質的の職責は労働組合法第二条第一号所定の機能をなす者ではなかつたと推測される。ただ、右組合が課長等から月々少しばかりの寄附金を得ていること、組合役員であつた申請人等の一部で給料の支払を失わないで組合大会等に出席していること等を推知し得るけれどもこれを以つて本件組合を労働組合法の保護の外にある組合と謂うことは出来ない。」(金沢地判昭二五・三・六労民集一・一・六五)。

とするものがある。この判旨によれば二条但書一号にいう使用者の利益を代表する者が加入しているならば直に御用組合となるようであり、この意味ならば前掲一部否定説に属するようであるが、利益代表者であるかどうかは従来自主的活動をしていたかどうかによつて判定されるとしているところからすると(使用者が除外要求をしたかどうかがその利益代表者であるかどうかを決する基準となるかのようにいうのは、二条が使用者の利益保護の意味をもつとすることから出ており論外)、結局は労働者が主体となつて自主的活動をしているかどうかが決め手として使われていることになり、但書一号の要件性を認めていないものだということができ、判例が否定説に立つとみることの妨げとはならないといえる。

次に労働委員会における御用組合の認定においてはどうなつているかをみよう。裁定例においては但書一号ないし二号に該当するだけで御用組合とされた例はない。例えば「再建労組は前記のように(註 結成に際し)経費援助を会社より受けており、しかも同労組は、その結成が一部役付職員によつて予め準備された予定のコースによつて進められ、規約、役員の決定も極めて形式的にとり行われたこと、組合構成の中心が幹部職員にあること」が認定され、なお「組合費が基準内賃金の百分の一で分会に比して極めて低額であり、組合運営費の出所に疑問なしとしないこと、分会、再建労組の何れに帰属せしむべきかについて紛議のあつた一部組合費を、会社は分会に何等事前に通知することなく、再建労組の要求に応じて同労組に返付したこと……これらからすれば再建労組が御用組合であるとの疑は極めて濃厚であるが、同労組がその後においても引続き会社から経費援助を受けているとか、その他自主性を失つていることを認めるに足る明確な証拠のない本件においては、以上の事実のみによつて同労組を御用組合であるとは未だ断定し難い。」（北労委昭二八・九・三〇令集九・一〇九日通北海道事件）とされるし、御用組合と認定される場合にも多くの事実を綜合して始めて決定される。例えば「㈠親睦会は被申立人会社代表取締役前田秀雄を顧問とし、昭和二十八年結成され、発会式に際しては前田の代理藤井総務部長が祝詞を述べたこと。㈡親睦会規約中にはその目的として、会社の事業目的に対し協力し、併せて会員相互の親睦を計ること、会員の慶弔に関すること、その他事業に必要な事項を行うこと等が規定してあること。㈢親睦会々長早川義雄は前組合委員長であつたこと。㈣親睦会発足当初の会員は七十八名であつたが、四月二十二日現在では九十七名となつていること。㈤会社代表取締役前田秀雄は親睦会に対し約弐拾万円を寄附したこと。㈥親睦会への入会は組合を脱退することが条件となつていること。㈦組合脱退届の用紙が、親睦会結成直前の二月二十七、八日頃に、大泉俊夫（現親睦会副会長）稲葉利男（現親睦会会計幹事）により印刷されていたこと。以上の事実に基き判断するに申立人組合の組合員中若干の者が組合執行部の行き方に対し批判的であつたことが認められるが、被申立人会社はこれを奇貨として、それらの者と談合の上親睦会の結成に強力な助力を与えたことが認められる。従つて右親睦会の性格は単に会員相互の親睦を図るのみではなく、中立人組合に対抗する御用団体であると認めざるを得ない。」（東労委昭二八・六・四命令集八・九六毎日交通事件）とされるのである。これに反し資格審査によつて組合資格が否認される事由の大部分は、但書一号ないし二号に該当するとされるものである（旧労組法時については福島・前掲四〇〇—四〇一頁、現労組法については中労委調査資料第十二集参照）。このようにみてくると労働委員会は折衷説の立場に立つものということができよう。

二　認定の基準

（一）　労組法二条本文について　労組法二条本文はその但書一号二号と異なり、それが御用組合認定の要件であることについて異論をみない。即ち「労働者が主体となつて自主的に」組織するものといえない労働者団体が御用組合であることについては争いがない。そこでこの具体的内容が問題になる。学説においては、「主体となつて自主的に」とは量的質的に指（主）導的地位に立つことであるとされ、これは労働者の自由意思に基づく行動の確保を意味するから、それは具体的には「労働者が労働組合の結成に際して外部の指導や介入を排除するとともに、その存続に当つても同様の支配干渉を回避す」ることとなり（東大労働法研究会・註釈三七頁、菊池・林・組合法四六頁も同旨）、労組法七条三号が使用者に対し組合の結成ないし運営についての介入行為を禁じていることと対応するとされている。そこで組合の結成ないし運営について七条三号で禁ぜられているような介入行為があり、その結果として労働者の自由意思に基づく行動力を喪失している労働者団体が即ち御用組合であるといえる。したがつて労組法二条本文によつてのその認定は、結成・運営に対する使用者側の介入行為の有無とそれと因果関係に立つ組合側の行動の自由の喪失という二つの基準を綜合して行われなければならない（福島・前掲論文四一—二頁は、行為・構成・および活動の全態容から綜合的にこれを判定処置すべきものとされる）。御用組合であるという認定は交渉団体として不適格の判定であることからすれば、この二つの基準のうち特に後者の認定は重要なものとなる。

判例において御用組合の認定が問題になる場合は、当該組合が但書一号ないし二号に該当する御用組合であるが故に一定の法的地位を有しないとするか、或は労組法七条一号事件の救済を求め不当労働行為意思認定資料として主張されるかの何れかである。判例は前述のような立場に立つから比較的早く前者について肯定的態度を決定し、以後に本文該当を理由とするような申立をみなかつたし、後者については必ずしも御用組合と認定しなくても、その主張事実から不当労働行為意思を推定すれば足りた（【1】の判例参照）。したがつて判例から二条本文に基づく御用組合認定の基準についての判断を聞くことは難しく、むしろこれは労働委員会における七条三号事件の裁定例に多くのものを聞くことができるという事情にある（前述のように資格審査は但書一号二号によつて行われるのでここにも期待が寄せられない）。前掲【2】の判例で「本文にいう団体であることは極めて明白である」とされたとき、それが何によつて明白なのか明らかでないが、この立場を敷衍すると思われるのは、

【5】「本件組合においては、会計、庶務（人事に関する職務を包含する）を担当する者及び倉庫、資材、調度の事務を担当する者の参加を許して居り（これ等の者が同法第二条第一号所定の監督的地位にある労働者ないし使用者の利益を代表する者と認むべきか否かの判断はしばらく措く）又会社が組合業務専従者の給与を支払つていた等の事実が存するが、右組合が同法第二条本文にいわゆる「労働者が主体となつて自主的に労働条件の維持改善その他経済的地位の向上を図ることを主たる目的として組織する団体」であることは組合の従前の行動に照し極めて明らかである。」（東京地決昭二五・一二・二三労民集一・五・七七〇）。

とするものである。【2】の判例が極めて明白であるというのも、この判例と同じく「組合の従前の行動に照し」て明白であるといつていると考えて差支えないであろう。そしてこのように解すれば、判例は組合がその意思に基づく行動の自由を喪失しているかどうかを二条本文に基づく御用組合認定の基準として重要視しているということができるであろう。

このように組合の行動の自由の喪失を認定基準として重視すれば、「その結成若くは加入等に関し、使用者からある程度の育成強化があつたとしても、その後該組合自身においてその自主性を発揮し労働組合の本然の姿に立直り、健全な組合に発展する限り、敢えて、これが活動に制限を加うるが如きは行き過ぎ」であり（福島労委昭二八・八・三一令集九・八一日通福島事件）、認定時において「自主性を失つていることを認めるに足る明確な証拠のない本件においては、以上の事実のみによつては同労組を御用組合であるとは未だ断定し難い」（前掲日通北海道事件、なお長崎労委昭二九・六・二令集一〇・一六四島原鉄道事件参照）ということになろう。判例では従前の行動としてどのようなことが考慮されるのか明瞭でないが、これには団体交渉の性格ないし程度、例えば「右第二組合と被申立人等間においては、簡易な問題につき一、二、の団体交渉をしていること、労働協約その他の重要なる労働条件については、何等団体交渉らしき手続を経ることなく極めて容易に、全日通労組と被申立人間に存する同一の規定を適用若くは準用する旨暗黙のうちに了解済なること」（前掲日通福島事件）、「第二組合のスローガンは『被解雇者の復職』「第一組合との統一」「夏期手当の要求」であつたが、夏期手当については平均賃金の二ヵ月分を要求し半月分支給されたが他は見送り状態であること」（広地労昭二八・九・九令集九・九二勝光山鉱業所事件）、「八月二十二日製材部従業員による親交会が結成されるや、会社は同日これと労働条件に関する協定を結び、次いで床板部従業員による親和会の結成を見るや、また同会とも同様の協定を締結し」（北労委昭二七・一二・二四 合集七・一〇八岩倉組事件）たというようなこと、使用者側の協約違反の不追及などが重要な比重を占めるであろう。単に組合が闘争をしたことがあるというだけでは、必ずしも御用組合的性格を払拭したことにはならず、かえつてその闘争の仕方如何によつてはむしろ御用組合的行動と評価されることになりかねないことについては前掲【1】の判例参照。

このように組合の従前の活動に照してその自主性の有無を検しようとする立場からすれば、その組合が介入行為によつて組織構造的に自主的活動がなしえない状態に置かれているときは、その活動を検討するまでもないということになろう。前掲【3】の判例はこの見地に立つものと考えられる。労働委員会が極めて排他的な御用労働組合と認めた協力会なる団体について（京労委昭二七・三・一三令集六・三二日本食糧倉庫事件）、

【6】「原告会社には昭和二十五年一月に結成された協力会なるものがあり、これは労働組合法に基く労働組合に代わるものであつて、会員の生活の安定向上共同福利の増進を図ると共に、会員の総意に基いて会社の健全なる発達に寄与することを目的とする団体であり、その構成は常勤の役職員及び作業員の全部を当然に会員とするものであり、会員はこの会の事業目的とする同種なる団体を別に結成し、これに加盟し又は存続せしめてはならないのであつて、規約に違反した会員は除名せられ且協力会は其の会員の解職を会社に要求すると云う条項さえ掲げられているのみならず、協力会の結成は会社首脳部の発意に基くものであつて、その代議員と称するものも第一回は幹部の指命により定められた事実を認めうべく之等の点から考えると右協力会なるものは労資協調的な精神の下に立ち労働組合法上の労働組合とは全くその性質を異にする。」（京都地判昭二八・四・一三労民集四・二・九五）

とするのも同様な立場に立つものといえよう。

しかしこのように介入行為があつたことから御用組合であることを結論づけるためには、その介入行為の効果如何もまた問題である。裁定例では御用組合でないとされたものについてみると、第二組合の結成に介入したことは一応認められたが、それが第二組合成立の主因ないし全部ではないことが主な理由とされているものが多い（例えば前掲日通福島事件のほか、岡山労委昭二八・一二・二五令集九・一三九下津井電鉄事件や、前掲島原鉄道事件、京労委昭二九・三・一二令集一〇・二〇八平安工業事件など）。またそれらの効果が認定時に現存していなければならない（前掲日通福島や日通北海道事件参照）とされている。更にまた組織構造的に行動の自由を喪失しているというためには、通常一の介入行為のみで決断されえず、多くの介入行為を綜合して決せられるであろうことは前掲の裁定例がよく物語つている。

（二）　労組法二条但書一号二号について　　否定説は但書一号二号を例示的規定と解するからこの具体的範囲如何は特に問題とならない。否定説の立場に立つ判例においても同様である。これが特に問題になるのは肯定説及び折衷説と労働委員会においてである。

但書一号は使用者の利益代表者の範囲についての規定と解されている。四種のものが示されているが、その第一の役員と最後のその他の利益代表者の範囲については格別の問題を生じない。具体的範囲について問題を生ずるのは、第二の人事権を直接に行使する労働者に含まれるとされる、主として技術・経営等に関与する者であつて併せて人事権をも行使する者と、第三の一定の機密事項に接する労働者である。この範囲は資格審査の場合のみでなく、不当労働行為事件において、或る者の行為が利益代表者の行為として使用者に帰責せしめうるかどうかの決定にも影響をもつている。この具体的範囲を解釈する基準としては、それが自主性確保のためのものであり、使用者利益の擁護のためのものと考えられてはならないことは当然であるが（この点は特に第四の型のものについていわれるところであるが、【4】の判例とか客観的に妥当性の疑わしい非組合員の範囲を三日の期限付で実行することを要請した東芝堀川町工場事件（神労委昭二二・五・九・二五令集一〇・二八五などもある）、この上に立つて前者の場合には団体交渉の相手方となりうるかどうか（東大労働法研究会・註解四二頁）、或はその権限が不足人員補充のような技術的意味のものかどうか（吾妻・註解三五頁）などが基準として挙げられている。具体的には船長・駅長・校長などが問題として挙げられている（これらを原則として利益代表者とすべきであるとするものに、例えば北岡・労働法二五四頁などがある）。後者については組合の自主性保持と他方に労働者の団結権を害しないこととの均衡点を見出すべきであると説かれている（磯田「改正労働組合法上の若干の問題」社会科学研究二巻一号一〇〇頁）。

労働委員会で使用者の利益代表者とせられた例についてみると、「駅員三〇名以上の日勤駅の駅長」、「社長の娘婿であり自動車部雲仙営業所長として身分上、職制上利益代表者」、取締役会書記、小切手署名人（課長級）、「人事課員中(1)対労働組合等労働問題に関する事務その他給与に関する調査研究起案を行う者(2)給与全般に関する調査研究起案を行う者」、「総務課員中(1)労働基準法関係事務(2)文書、内規関係立案整理を行う者」、「会計課員中経理関係機密事務を取扱う者」、「監理課員中(1)総勘定関係事務を行う者(2)諸法令関係、対外接衝、企画立案、機密事務を行う者」などがある。

但書二号について実例をみると、資格審査関係では組合事務専従者の給与支払、勤務時間中の組合活動がよく指摘されるが、使用者との協議交渉に当つて旅費・日当・宿泊料をうけること（中労委調査資料一二号参照）、七条三号事件では使用者から借入金をすること（前掲日通北海道事件）や銀行からの借入金についての使用者の債務保証（福岡労委昭二九・八・二五令集一一・一二五九州電力事件）が、学説ではスト中の賃金支払（吾妻・青林労働法一〇七、一四八、二一九頁など。もしスト中にも賃金請求権は失われない（宮島「争議中の賃金及び損害賠償」討論労働法五三号三六頁以下）か、ないしはその一部は失わない（沼田・佐伯・藤田・労働組合の法律相談三八三頁、外尾「労働争議と賃金債権」季刊労働法二三号七〇頁、本多「労働契約と賃金」季刊労働法二五号一〇一頁）ことが認められるならば、これは疑問となるであろう）がこの号にいう経費援助に当るとされている。この号の解釈としては「使用者の経理上の援助を受け、そのために自主性を失つたと認められるもの」と解する説がある（磯田・前掲九七頁、なお野村・前掲参照）。この説によれば前に挙げた事例も自主性を失わないで取得している限り問題を生じない。この説に対しては経費援助には自主性喪失の契機が内包されているから正当でないとする反論がある（石井・労働法一〇三頁、なお吾妻・註解三七―三八頁参照）。

三　御用組合の法的地位

一　組合法上の地位

御用組合は労組法二条に適合しないと認定された労働者団体である。労組法二条は労組法上の労働組合についての定義規定であるから、これに適合しないとされた御用組合はしたがつて労組法にいう労働組合でなく、労組法が労働組合に認めている地位は御用組合に対しては否定されることとなる。

右の結果として御用組合は協約能力をもたないことについて異論はない。しかしここで問題なのは御用組合の範囲、即ち労組法二条但書一号ないし二号に該当するにすぎない労働者団体が御用組合かどうかである。否定説の立場ではこれらの団体は何等御用組合とみらるべき筋合ではないし、折衷説の立場では但書一号二号は資格審査との関係で意味をもつにすぎないとしているから、当該団体が形式的御用組合であることは当面の問題には何等影響がなく、この点においては否定説と同一に帰する（吾妻・青林労働法一一五頁以下）。したがつてこの両説によればこれらの団体は当然協約能力を有することとなる。これに反して肯定説によれば、これら団体も御用組合であるから、協約能力をもたないとされることになる。判例は前述したように否定説の立場に立つているから、右のような団体は協約能力をもつとしている。

【7】「労働組合法上協約能力を有する組合は、同法第二条、本文の要件を具備する組合であれば足ると解すべきであるから右要件を具備する限り、同条但書第一、二号に該当するとしても（第三、四号に該当する労働者の団体は、当然本文の要件を欠くから、この点は度外視する）このことから直ちにその組合の協約能力を否定すべきではなく、要は同条本文所定の自主性の有無如何によつて決すべきものである。」（東京地決昭二五・一二・二三労民集一・五・七〇七）。

さて御用組合に協約能力が認められないとして、協約類似の契約を締結する能力も認めえないかが問われ、これを肯定してもよいのではないかとする説もあるが（柳川他・研究、五〇二―三頁、木村「支配介入による不当労働行為の諸問題」阪大法学一一号二三頁など）、これに対しては「すでに使用者との関係では適正な手続によつて締結されたものである以上、その内容が客観的にみて、労働組合の組合員全体のために不利でないようなときには、その効力を否定する必要もないようにみえるが、改正労働組合法の精神からみて、やはり、一切の法律上の効力を認むべきでない」として否定する説がある（石井・前掲論文五〇三頁）。実質的御用組合を前提とする限り、否定するのが妥当であろう。

右のほか組合法その他で自主的組合にのみ適用しようとする規定は御用組合には適用をみないことになるが、それらは資格審査と関係せしめられているので、後述四の一資格審査の項を参照されたい。

二　労働者団体としての地位

御用組合とせられたときはその労働者団体は労組法上の労働組合でなくなることは右にみた通りであるが、その故に労組法が労働組合に適用することとしている規定が一様に御用組合に対して適用をみないものかどうかが問題になる。蓋しこれら規定の中には、自主的組合を助成する見地から労組法が創設した規定と憲法二八条の労働三権の保障を具体化した規定とが含まれているが、後者の規定は本来労働者団体に対する保障として一般的に問題となるべく、労組法にいう労働組合でなければ適用されえないというものではない。この種の規定は前者のような規定と異なつてただ労働組合としてこれらの保障に与りうるという意味において労組法中に規定せられたにすぎないと考えられるからである。

このような見地に立つて肯定説は御用組合についても労働三権の保障が否定されるべきではないとし、特に民事刑事の免責を受けうることを主張する。肯定説によつて御用組合となるもののうちでいわゆる形式的御用組合については、否定説及び折衷説（少くとも資格審査を除いた面）ではこれを御用組合として取扱わないのであるから、これらに労働三権の保障が及ぶことは当然である（後掲【8】参照）。そこで肯定説の右の主張のもつ意味は実質的御用組合について生ずることになる。否定説及び折衷説は交渉団体として対抗的性格をもつものが労組法上の労働組合となるよう、労働組合の定義規定としての労組法二条における重点を本文にかけたのであるから、これらの説で本文不該当の御用組合とは交渉団体として不適格で労働法上の主体として無意味な存在ということになる。したがつてこれらの説では御用組合について労働三権の保障ということは考えられない。ただ折衷説では、「民事・刑事の免責に関する限り、具体的行動が、使用者に対抗する行為としての性格を有するかぎり、これを認むべきであろう」(吾妻・青林労働法一一五頁)と附言されている。

思うに御用組合はそれが使用者に対する対抗組織でない点にその本質がある限り、御用組合について労働三権の保障は考えられないから、この点否定説ないし折衷説の立場を妥当とする。しかし御用組合であるという認定が固定的なものでないこと、その個別性ないし流動性に着眼するところに肯定説の主張の意義があると考えられる。即ち折衷説が附言するように使用者に対抗する具体的行動があるときは、それは既に御用組合ではなくなつている故に、これは自主的組合としての取扱を受けるべきであり、ただに民刑の免責を受けるにとどまらないとすべきである。次の判例が労組法二条該当の非自主的組合にも争議権の保障があるとするのも右趣旨において妥当である。

【8】　「日本国憲法は、労働者に対して団結権、団体交渉その他の団体行動をする権利を、侵すことのできない基本的人権として保障している。思うにその趣旨とする所は、使用者に対して比較的弱者の地位にある労働者を使用者との交渉に於て対等の立場に立たしめるために、労働者が自主的に団結して団体を結成しその労働条件に付て使用者との間に団体交渉を行い、且つその交渉に関して争議行為その他の団体行動をなすことを許し、これによつて労働者の地位の向上をはかろうとするにあると考えられる。使用者に対しては勿論のこと一般第三者に対しても損害を及ぼすことが少くない争議行為が、正当な範囲のものである限り、已むを得ぬ手段として労働者に認められるのも、右の目的を達成するためには使用者や第三者に或る程度の犠牲を甘受させるのも已むを得ないと考えられるからに他ならない。従つてこの労働者の争議行為その他の団体行動を行う権

利そのものは権利の濫用や公共の福祉に反すると認められる場合でない限りこれを制限したり剝奪したりすることは絶対に許されないものと解すべきである。

而してこのような奪うことのできない労働者の権利とは、労働組合法に規定された要件を備えた労働組合にのみ与えられるものではなく、その要件を備えていない非自主的組合（労働組合法第二条の要件を欠く組合）や非民主的組合（同法第五条第二項の要件を欠く組合）や、更には又未組織の労働者の団体にもひとしく与えられている権利であるといはねばならない。労使対等の立場の促進ということは、憲法が労働者に右の諸権利を保障していることとの根本精神であつてこの根本精神から考える時は、団結権や団体交渉権、殊に正当な範囲の争議権は一応すべての労働者に対してひとしく与えらるべきものである。労働組合法によつて労働組合たる資格がどのように定められようとも、そのことから、憲法上の保障を、憲法上の保障の内に当然含まれていると考えられる制限を超えて制限し、若くは否定することはできない。

かう考えると、申請人の主張する所がもしも労働組合法の要件を備えない所謂法外組合には争議権そのものがないという趣旨であるとするならば、本件に於て訴外全日通労働組合が申請人の主張するように法外組合であるかどうかの点を確定するまでもなく、申請人のこの点に関する主張は明かに失当であるといわねばならない。」（秋田地判昭二五・九・五 労民集一・五・六八三頁）。

なお御用組合については不当労働行為が成立しないということから、御用組合内においても不当労働行為が成立するかという問題、特に労組法七条一号における「労働組合の正当な行為をしたこと」を理由とする不利益取扱が成立するかという問題が提起せられ、「御用組合の内部においても、労働者がある形態において自主的に団結し、組織的な行動をなしている場合には、その団結に対する関係において、不当労働行為が成立することがある」と説く説もあるが（柳川他・前掲書六 四四－六四六頁）、必ずしも団結をなす必要はなく、自主的組合を目指してのその個人の団結権の行使に対する侵害とみれば足りると思われる（前掲【3】の判例参照）。なおまた裁判上問題となることはないが、労働委員会における不当労働行為救済手続ではその申立人の資格が限定せられていないところから、御用組合の構成員が労組法七条三号の申立をなしうるかが問題になるが、これは七条三号による救済の項で触れることにする。

四　御用組合の自主化措置

御用組合はその所属組合員の労働三権をじゆうりんすることによつて始めて成立するのみならず、更にこれら組合員の自主化活動をおさえ或は自主的組合の外部からの組合化を妨げるなど労働三権の行使をさまたげることによつて維持されうるものであるから、それは二重の意味において労働三権の行使を侵害するところに存続しうるものといえる。御用組合はこのように自主的組合運動を展開する上での障害物であるから、自主的組合運動の展開を促進しようとする法体制の下では積極的にこれを排除することが図られる。旧労組法ではこのような見地から御用組合とされたときは当然解散すべきものとされていた（旧労組法六条及び一四条四号）。しかし旧労組法を全面改正した現労組法は、このように解散まで認めることは使用者に対する組合の自主性を重んずる余り、他方において組合の官憲からの自主性の面が等閑視されることになつていることを認め、これを改める意味から、組合について自由設立主義をとるとともに、御用組合についてもその存在を否定せず、ただ自主的組合に与えられる法的利益ないし保護は与えられないとするにとどまつた。けれどもそのために御用組合が自主的組合運動の障害物として野放しになることを避けるため、二つの面からその自主化の促進を図ることとした。その一は五条一項に定める資格審査制度であつて、労働委員会に対して自主的組合であることの立証ができない限り、その主宰する手続に参与し救済を受けられないものとすることによつて、間接的に自主化を強制しようとした。他の一は使用者の御用化のための行為を禁止する七条三号の不当労働行為制度がそれである。

一　資格審査

資格審査制度の結果として、御用組合は労働委員会に対して不当労働行為の申立をなしえないし（中労委規則三四条二号参照）その救済もうけられないほか、労働委員会の労働者委員の推薦母体となりえず（労組法一九条七項参照）、法人登記をなしえないし（労組法一一条一項参照）、地域的一般拘束力宣言の申立も許されず（労組法一八条一項）、また労働者供給事業を行うこともできない（職安規則三二条参照）こととされる。即ち資格審査は右のような手続に参与しその救済を受けようとする労働者団体にとつては確認行為としての意味をもち、御用組合であるとの確認について右のような法的効果が附せられるのである。したがつてもし誤認によつて右の法的効果をうけるようなときは、当該団体に対して確認の結果を争う道が開かれている（中労委規二七条）。

しかし右にあげたような法的効果を排除しようとする場合、当該団体は常に資格審査のみを別途に争わなければならないとは解されない。後の処分に対する不服の理由として資格審査決定の当否の主張をなすことは認められるべきであり、後の処分に対する抗告訴訟においては取消申立の事由となしうると考える。特に不当労働行為の救済申立に際して行われる資格審査は、不当労働行為事件が準司法的手続によつて処理されることから、むしろ訴訟要件的に把えらるべきであろうと思われる。ただ不当労働行為の救済申立が御用組合なる故をもつて却下されたとき、この処分に対し抗告訴訟を提起できるかどうかについては、却下処分について抗告訴訟を提起できるかという一般論と関連して問題がある。即ち不当労働行為の救済申立が却下ないし棄却された場合、当該組合は抗告訴訟を提起しうるかについては積極・消極の両説が対立し、消極説も有力に主張せられている（三藤・不当労働行為の諸問題二二四頁以下、斎藤「労働委員会における救済手続」学会労働法講座二巻三八〇頁、中島「裁判所における救済手続（仮処分・命令の司法審査）」同上同巻四三八頁。両説については上掲書註参照）。しかし判例は積極説に与しているから、不当労働行為の却下ないし棄却処分に対して抗告訴訟の提起が認められている。したがつて該当する判例はないけれども、判例の立場を推すならば、却下の一態様である前掲の場合にも抗告訴訟が許され、資格審査の違法性はそこで取消申立の事由として争いうることになるであろう。

【9】　「労働委員会の不当労働行為救済申立の却下または棄却の命令に対し取消訴訟が許されるや否やにつき案ずるに、労働委員会が不当労働行為救済の申立を受けた場合には、審査の上、救済申立の全部または一部を許容し、または、これを棄却することを要するのであるが、苟も不当労働行為の存することが認められる以上、同委員会は申立人に対し何等かの救済を与えなければならない。このように行政庁である労働委員会が救済申立につき許否を決定することは行政処分であり、若し不当労働行為が存するにも拘らず誤つてこれを看過し救済申立を排斥すれば、違法な行政処分に外ならないから、これに対しては行政事件訴訟特例法により取消訴訟を提起しうるものというべきである。尤も労働組合法第二十七条第六項には使用者は命令交付の日から三十日以内に行政事件訴訟特例法の定めるところにより訴を提起しうる旨規定されておるのに、同条第十一項には単に同条の規定は労働組合または労働者が訴を提起することを妨げるものではない旨規定せられていること

が明である。しかるに同条第十一項の訴は民事訴訟の外行政訴訟をも含む趣旨で解するのが相当であるばかりでなく同条第六項に特に出訴機関が三十日と定められているのは救済命令の確定を早からしめんとする意図に出たものと認められるから救済申立却下命令に対しても取消訴訟の提起は許されるものと解すべきである。被告のこの点の主張は理由がない。

次に救済申立却下または棄却の命令に対する取消訴訟提起の利益の存否につき案ずるに、労働委員会において、不当労働行為の救済申立を受けた場合には、民事訴訟に比し、自由且迅速に労使間の実情に即し適切な救済を命じうるから労働組合または労働者はこのような救済を受けるにつき独自の利益を有するものというべく、救済申立が不当に拒否せられたときはこの利益を失うこととなるのであるから、この救済申立拒否の命令に対しその取消訴訟を提起するについてもその利益を有するものというべきである。その判決の確定をまつて労働委員会をして更に救済申立の手続を進めしめることができる。たとえ労働委員会において救済申立につき別個の根拠にもとずき新たな判断をなすことがあるとしても右の利益はこれを否定するをえない。被告のこの点の主張もまた採用するをえない。従つて被告の原告堀本浩に対する訴却下の申立は理由がない。」（東京高判昭三一・九・二九労民集七・五・八）（本件原審の東京地判昭二九・八・三〇労民集五・五・五一六のほか、東京地判昭二七・七・二九労民集三・三・二五三、東京地判昭二八・七・三労民集四・四・二八一、東京高判昭三〇・一〇・二八労民集六・六・八四三、仙台高秋田支判昭二九・一二・一三労民集六・一・七七など参照。訴願前置の要否については東京地判昭二六・七・一九労民集二・二・二三八及び東京高判昭二六・一〇・九労民集二・四・五一四、組合員個人に対する不当労働行為の救済申立の棄却についての抗告訴訟適格の有無については秋田地判昭二八・九・一六労民集四・五・四三八参照）。

さて不当労働行為申立を却下する処分に対する組合の抗告訴訟において、資格審査の違法性がその処分取消の事由として主張することが許されるとするならば、申立を容れて救済命令が出た場合、使用者は救済命令に対する抗告訴訟において（抗告訴訟を提起しうることは労組法二七条六項の明文があるため組合の場合のような問題は生じないが）、申立に際して行われた資格審査の違法性を取消事由として主張することを許されるであろうか。資格審査を不当労働行為事件手続においての訴訟要件的存在とみるならば、この点は当然肯定的に解されるであろう。
　そこで問題は資格審査のどのような瑕疵を事由としうるかである。地労委が支配介入行為に対する救済申立を容れ救済命令を発したのに対し、使用者が救済命令の取消を求め、その事由として、資格審査の内容が不完全で違法であること及び救済命令後においても資格審査決定書に地労委会長の署名捺印がなく、このように決定の効力が生じないままに事件の審査を終了した故に資格審査が違法であることを主張したのに対し、これを容認する判例がある。

【10】　「㈠本件資格審査の内容について。元来、資格審査は、申立労働組合が労組法第二条及び第五条第二項の規定に適合するかどうかを認定する手続であるところ、同法第五条第二項は、労働組合の規約には、同項各号に定めるような規定、すなわち労働組合が民主的なものであるために必要な最低限度の要件を満たす規定、を含んでいなければならないことを要求するものにすぎないから、地労委において、当該労働組合が同法第五条第二項に該当するかどうか、を認定するにあたつては、同条項の趣旨、体裁から考えても、もつぱら組合規約につき同条項の要件を満たしているかどうかを審査すれば足りる、というべきであるが、他面、同法第二条は、本来労組法上の労働組合であるための資格要件を定め、特に労働組合が実質的に自主性を有することを要求する規定であるから、地労委において、当該労働組合が労組法第二条に該当するかどうか、すなわち自主性を有するかどうかを認定するにあたつては、単に、当該労働組合の組合規約や労働協約の文言だけでなく、その実体につき実質的に審査しなければならないものといわなければならない。そこで本件において訴外労組に対する資格審査がどのように行われたかを考えるに、……被告委員会は、訴外労組が資格審査の申立に際し提出した申請書（甲第四号証）とその添付書類である組合規約、労働協約及びこれらの附属書類組合役員及び専従者名簿、組合専従者に関する規程、組合会計関係書類、組合組織形態などの書類を、まず事務局職員に調

査させその翌日開かれた第八十二回公益委員会議において、右提出書類のうち問題となつた二、三の点について極めて形式的に討議したのにすぎず、そのほかの点については、被告委員会が昭和二十七年八月に訴外労組の各分会につき資格審査を行つてその適格性を認定した当時と変つていない、という事務局職員の報告をきいただけでそれ以上何等の調査をしなかつたこと、そうして右の事務局職員の報告の基礎となつた調査資料は右訴外労組の提出した書類だけであること、訴外労組の各分会につき前回の資格審査の後である昭和二十七年十二月頃に原告会社の職制が変更されているのに、本件審査において、原告会社の職制、組合員の範囲、職務内容などにつき具体的に調査した形跡のみられないこと、がいずれも認められる。従つて本件資格審査は、訴外労組が労組法第二条に該当するかどうかの認定につき極めて形式的にすぎ、その実質的調査が充分にされたものと認めることはできない。そればかりでなく、資格審査における地労委の認定、判断の当否は、結局裁判所がこれを判断することになるのであるが、訴外労組が労組法第二条に該当する労働組合であること、従つて、被告委員会がこれに該当するものと認定したのが正当であることを認定させるに足りる証拠もないから、要するに、本件資格審査は、その審査の方法、内容において違法であるといわなければならない。

㈢本件資格審査の決定書について。元来資格審査は、これによつて当該労働組合に労組法あるいは労調法上の救済を求める資格を与えるかどうかを認定する手続であつて、資格審査の結果、労組法の規定に適合しないと認められた労働組合のした不当労働行為救済の申立は、その実体の審理に入ることなく却下されるべきものであるから、いわば不当労働行為救済申立事件の審査に論理的に先行する手続であるということができ、また規則第二十五条は、資格審査の結果について必ず決定書を作成し、地労委会長がこれに署名押印しなければならないことを規定しているのであつて、たんに公益委員会議が決定しただけでは、まだ行政機関の内部的な意思決定にとどまり、決定書の署名押印によつてはじめて資格審査決定という行政処分として外部的に成立し、その効力を生ずるものというべきであるから、資格審査の決定書は、不当労働行為救済申立事件の審査を開始するまでに、あるいは遅くとも、右審査開始後、救済命令が発せられる時までに、必ず作成されていなければならない。ところが、……本件救済命令の発せられた当時なお本件資格審査決定書は作成されていなかつたことになり、当時本件資格審査の決定はその効力を生じていなかつたことになる。

　このように本件救済命令は、前記㈢に述べたような違法な資格審査を前提とするものであり、また前記㈢に述べたように資格審査決定の効力を生じていない間に発せられたものであるから、違法であるといわなければならない」（福島地判昭三〇・一一・一一労民集六・六・八八七）。

ただしかし資格審査は資格の有無を職権的に確認する行為であり、後の処分に影響を与えるのはその決定の結論であるから、結論の違法性が抗告訴訟で問題とされるべきことは疑問がないが、右判例のように資格審査の内容ないし手続的な面の違法性を問題にしうるとすることには賛しえない。このような面の違法性が問題になるとすれば、審査を行つた公益委員会議が定足数を欠いたという如き主体的な瑕疵だけではないかと考える。右判例に対する上告審は、救済申立を拒否すべき義務は労働委員会の国に対する義務で、使用者に対する関係での義務ではないという理由から、審査の方法ないし手続の瑕疵は勿論、審査結果の誤りも救済命令の取消事由として主張しえないとした。これは不当労働行為救済申立に際しての資格審査が訴訟要件的存在であることを認めないものでこれもまた賛しえない。決定書に署名捺印を欠いているという点については、中労委規二五条は不当労働行為救済申立に当つての資格審査には適用がないとする上告審の判示に賛成である（中労委規三四条二項参照）。

【11】㈠「労働組合法第五条の立法趣旨は、労働委員会をして同法第二条および第五条第二項の要件を欠く組合の救済申立を拒否せしめることにより、間接に、組合が右各法条の要件を具備するように促進することに

あるものと解すべきである。この点から、第五条は、労働委員会に、申立組合が右要件を具備するかどうかを審査し、この要件を具備しないと認める場合にはその申立を拒否すべき義務を課していることは明らかであつて、第二条の要件を具備するかどうかの点の審査が単なる形式的審査にとどまるものではなく、実質的にこれをなすべきものであることは（その方法、程度はともかく）、同条の立法趣旨に照らし疑を容れないところである。しかしながら、この義務は、労働委員会が、組合が第二条および第五条第二項の要件を具備するように促進するという国家目的に協力することを要請されている意味において、直接、国家に対し負う責務にほかならず、申立資格を欠く組合の救済申立を拒否することが、使用者の法的利益の保障の見地から要求される意味において、使用者に対する関係において負う義務ではないと解すべきである。それ故、仮に資格審査の方法乃至手続に瑕疵がありもしくは審査の結果に誤りがあるとしても、使用者は、組合が第二条の要件を具備しないことを不当労働行為の成立を否定する事由として主張することにより救済命令の取消を求め得る場合のあるのは格別、単に審査の方法乃至手続に瑕疵があることもしくは審査の結果に誤りがあることのみを理由として救済命令の取消を求めることはできないものと解すべきである。従つて、原審が単に資格審査の方法及び内容に違法があるという理由で本件救済命令に取消事由があるものと解したことは失当であり、この点において原判決は破棄を免れない。」

㈢「中央労働委員会規則第二五条は、組合が労働組合法第二条及び第五条第二項の要件を具備するかどうかということの審査が独立の処分としてなされる場合（たとえば法人登記のために資格証明書の交付申請があつた場合）にのみ適用される規定と解すべきである。しかるに、同法第五条に基く申立組合の資格審査は、不当労働行為の救済を与えるかどうかの前提としてなされるものであつて、救済命令もしくは救済申立を却下する処分と離れて独立の処分としての意義を有するものではないから、この場合の資格審査については、規則第二五条は適用がないものと解すべきである。それ故、規則第二五条に基く決定書が作成されていないということは、本件救済命令を違法ならしめるものではなく、これと反する原審の見解は失当であり、原判決は、この点においても破棄を免れない。」（最判昭三二・一二・二四判時一三六・三七八五）。

そこでこれら判例によつて提起された、資格審査特に御用組合かどうかの資格審査が実質的審査であるべきか、形式的審査で足りるかという問題は、資格審査が職権的に行われ、関係当事者としてはその資格認否の結論の当否を争えば足りるから、必ずその何れかを択一しなければならないようなものではなく、具体的場合に応じて労働委員会は規約・協約等からその自主性の有無を判断してもよく（二の二(一)参照）、それらによつては疎明が得られないとか或は疑わしいと思われるときには進んで事実調査などを行えば足りると解される（中労委規二三条二項参照、なお労組法五条二項の資格審査について形式的審査で足りるとする石井前掲論文五〇六頁参照）。

二　労組法七条三号による救済

資格審査制度は御用組合に一定の不利益を課することによつて、御用組合自体をして自主化の途を選ばせるように、間接的な強制を加えようとする制度であるが、このほかに、御用組合以外の者が労働委員会の力を借りて、御用組合を自主的組合に変質ないし変化させることが考えられている。労組法七条三号に基づく救済が即ちそれである。労組法七条三号による救済は、自主的組合への支配介入行為を禁じてこれが御用化することを防止するためにも奉仕するが、右に述べたような目的のためにも利用されこれに奉仕しうる。

労組法七条三号を右のような目的のために利用すると考えられる者としては、当該御用組合の構成員、その上部団体や当該御用組合と対立関係にある自主的組合などがある。しかしこれらのうち、構成員や上部団体については救済申立を認められるかどうかに問題がある。また救済申立を認める場合、労働委員会として、これにどのような救済を与えうるか、即ちその救済内容が問題になる。

御用組合の構成員の救済申立については、労組法五条一項但書を非民主的組合の組合員に対して保護を否定してはならない旨を規定するものと解し、非自主的組合の構成員については申立権が否定せられていると解する説がある（林「不当労働行為の救済手続参与」学会誌労働法四号一三六頁及び討論労働法三九号二四頁参照）。この説は構成員に申立権を認めれば、結果的には御用組合自体に申立権を認めたのと実質的に変りがなくなり、御用組合に対して救済申立を否定した五条一項本文の趣旨が害せられるということに根拠があるようである。しかしこのように考えるならば、御用組合の構成員が自主的活動を展開し当該御用組合を自主化しようとするに当つて、その団結権の行使が制約されたようなときにも構成員は七条三号によりその団結権の保護を求めえないことになり、御用組合を内部的に自主化する途も拒否されることになるであろう。したがつて五条一項本文は通説のように単なる注意規定と解し、御用組合の組合員についても一般的に不当労働行為救済申立権を認めるべきである。そこで御用組合の構成員は勿論、その上部団体や対立組合などもすべて正当な利害関係者として労組法七条三号の申立をなしうるものと解すべきである（解散前の上部団体が申立権をもつかについては、北労委昭二八・四・三〇命集八・四四、仙台鉄道事件参照）。

これらの者が申立をなしうるとしても、救済の利益が直接には当該御用組合のためのものとなるような救済を与えることができるかが、御用組合に対しては救済が拒否されていることとの関連から、申立の場合と同様に問題となりうる。しかし御用組合についてその自主化の方途を閉すようなことは元来立法論的に疑問であるから、構成員や上部団体からする自主化のための救済は広く与えられるべきであり、申立人のうける救済利益が間接的である故をもつて救済が拒否せられるべきではない（吾妻・青林労働法一一四頁参照）。

ひとしく御用組合といつても、それぞれの場合について御用化の程度に差異があるから、救済命令の内容は個々の具体的場合に適応したものである必要がある。完全に御用化してしまつて自主化の緒口も見出しえないような場合には、抜本的な方法として当該御用組合を消滅させて、その地盤の上に新しい自主的組合の成立を期待することが考えられる。このような救済内容をもつものとして、解散命令を発することの是非が問題になる。学説としてはこのような命令を肯定する立場もあるが（例えば平賀・組合法論二五二頁、福島・前掲論文四一六頁も消極的ながら賛成される）、このような命令は当該団体の結社の自由を害すること（その団体が労働組合的目的のみのために設立されたものであるときはまだしも、他の目的を併用しているときに特に問題となる）、また救済命令の名宛人が使用者であるから使用者に不能を強いることになるなどの理由によつて、解散命令を発しえないとするのが通説である。裁定例についてみても、この種の命令を求める申立は、「救済方法として、会社に親和会、親交会の解散を命ずることを求めているが、これ等の会は会社の援助により成立したとはいえ、会社従業員の会としてその意志により存在しているものであつて、会社のみの意志によりこれを解散させることはできないものと思料される」（北労委昭二七・一二・二四令集七・一〇八岩倉組事件。なお兵労委昭二七・八・一九令集七・六九油谷発条事件や宮地労昭二八・四・三〇令集八・四四仙台鉄道事件も同旨）、「解散による原状回復についてであるが、憲法二十八条により、およそいかなる労働者も団結権は平等に認められているのであるから、かかる憲法上の条文を無視して労働委員会の命令による解散を請求すること自体無理な要求であり、被申立人会社の法律違反を追求する申立人が自ら逆に憲法違反の行為を請求すること自体矛盾撞着たるを免れない」（長崎労委昭二九・六・二令集一〇・一六四島原鉄道事件）、「解散を不当労働行為の救済として求むるが如きは、行政処分としての労働委員会の権限外に属するものである」（京労委昭二九・三・一二令集一〇・二〇八平安工業事件）として、すべて棄却されている。このように解散命令について問題があるとすれば、次に解散命令の効果と同じものを狙いながら、結社の自由や使用者が名宛人であることなどの難点を避けるものとして、労働組合としての取扱禁止（dises-tablishment）の命令ならば許されるだろうかが問題になる。この命令については学説上余り否定的見解が示されていないから学説的には広く支持されていると見ることができよう（磯田・労働法一四七―八頁、沼田・綱要・一〇〇頁、萩沢「不当労働行為救済命令の一検討」討論労働法二三号一八―九頁などは賛成説とみられる）。否定的見解としては「当該組合の団体交渉権を否認するという結果を生ぜしめることにもなる。したがつて、右のような法制の下にある我が国の労働委員会としては、かかる命令を発する権限がないと解すべきではなかろうか」といわれている（木村「支配・介入による不当労働行為の問題」阪大法学一一号二二頁）。しかし完全な御用組合とみられるものについては、このような考慮を要しないのではないかと考える。この種の救済命令を発することが一応認められるとしても、「純正な労働組合の芽を注意深く選り別けて、それが生育を邪魔している使用者の行為をとり除き、育て上げるように工夫しなければならぬ」こと、「使用者が支配介入して御用化したときは、むろん始めから団交したり協約を結んだりしないつもりでそうしたのであるから、かかる命令は、云わば使用者の思う壺である」からこれにはまらぬよう留意を要することなどから（三藤・諸問題五二―五四頁参照）、具体的場合に当つてこれを命ずることは慎重にならざるをえない。つまり完全な御用組合であると認定すること自体が非常に困難であるが故に、この種の裁定例は殆んど存しない（中労委昭二八・一二・一二令集九・二〇二仙台鉄道再審査事件命令はこの例）。

完全な御用組合と断定できないで右のような命令を発しえないとすれば、次に考えられることは、自主化活動に障害となると思われる部分のみを排除することである。これはその場合場合において事情が異なるから、命令内容も多様化せざるをえないところであるが、問題となるのは、御用組合との間に締結された協定の破棄及び会社利益代表者の脱退を命じうるかである。

協定破棄については、御用組合の締結した協定にもなお何等かの法的効果を認めうるかどうかについての考え方の相異によつて、このような救済内容が肯定されるか否定されるかの差異を生じる。この種協定に法的意味を認める限り、使用者に一方的破棄を命ずることは疑問となろう（木村・前掲論文三三頁）。しかし通説はこの種協定に法的意味を認めていないから、協定破棄を命ずることも差支えないことになろう（明言されるものとして、磯田・労働法一五〇頁、沼田・綱要一〇〇頁などがある）。裁定例としては、「労働条件に関する協定を破棄する旨の通告を行うこと」を命じたものもあるし（前掲岩倉組事件命令）、協約の効力を停止する旨の命令を求めたのに対し「労働協約の効力判定は一に裁判所の権限に属し、労働委員会は不当労働行為の事実の認定をなすに止まるから、この請求も棄却を免れない」とするものもある（前掲島原鉄道事件）。

次に会社の利益代表者を脱退させることを命ずることについては（前掲仙台鉄道初審事件はこれを命じている）、これらの者の結社の自由との関連で果して使用者にとつて履行可能であるかが問題になる。これらの者は使用者の意思に基づいて加入しているのであるから、命令の内容は使用者の行為を命じているものとして肯定できようかとする説もある（木村・前掲論文二四頁、なお討論二三号一八頁の討論参照）が、疑問の残る命令である。このほかポスト・ノーティスがよく用いられるが、これについては問題がない（但し新聞広告が否定されることについては前掲仙台鉄道事件参照。この必要性を説く学説としては、有泉・沼田・峯村編「団結権と不当労働行為」三一八頁、磯田・同書一四五頁など）。

なお右のような積極的命令とならんで、あるいは単独に禁止命令が発せられることがある。一号事件などと異なつて三号事件のような不当労働行為については、その行為を中止させ再発を防ぐ意味で禁止命令の有用性は充分に認められるところであるけれども、この種命令はいわゆる抽象的不作為命令が許されるかという問題を提供し、学説が分れている。否定説（東大労研・註釈二一七頁、石川「支配介入」専門講座労働法三集二一一頁以下、柳川・高島・労働争訟三二頁、木村・前掲二七頁、色川「労働委員会における救済手続」学会労働法講座二巻四〇九頁以下特に註四参照）は罰則を裏付けとする法規設定にひとしいことになるから、行政委員会である労働委員会の権限の及ぶところではないとするが、肯定説（吾妻・条解二二三頁、菊池・林・組合法二八五頁、斎藤「労働委員会における救済手続」学会労働法講座二巻三七五頁、特に三藤・前掲三八頁以下はその適法なる所以を力説している）はこの種命令の必要性、罰則と直結しないことを強調している。裁定例においても否定説が有力であるが、判例も否定説の立場に立つているといえよう。ただ判例の対象となつたのが法文の規定そのままという極端なものであつたため、どの程度に具体性をもてばよいかについては明らかでない。

【12】「命令主文第三項につき考えるに、同項には原告会社は今後労働組合の結成並びにその運営を支配し又は介入してはならない旨を命じているが、これは労働組合法第七条第三号の規定そのままの字句である。労働委員会の命令が確定したときこれに違反する使用者は過料の制裁を受け、更に命令が確定判決によつて支持されたときは禁錮若くは罰金に処せられ又はこれを併科されるのである。それを考えると前記の如く将来に亘つて具体的に規定することのできない命令を発することは、結局制裁の裏付をもつた法規を設定することに等

しいというべきである。しかるところ労働委員会の職務は申立により不当労働行為の有無を判定し、この認定に基いてその是正と原状回復を命ずることでなければならない。そうすると主文第三項の如き命令を発することは労働委員会の権限を超えるものであり、主文第三項はこの点において違法である。」（京都地判昭二八・四・三労民集四・二・九五）。

除名

外尾健一

はしがき

本稿は組織強制の一つの手段である除名をめぐつて生起した各種の判例を中心に、除名の本質、その有効要件、司法審査の限界、除名にもとづく解雇の正当性等の諸問題を扱う。

すなわち、ここでは組合の内部的規制の領域に問題を限定し、したがつて例えば被除名者の解雇を要求する争議行為の正当性、被除名者の工場立入を阻止するピケッティングの正当性、あるいはユニオン・ショップ約款と解雇との関係等については、別稿にゆずつている。ただ除名にもとづく解雇の正当性、仮処分の必要性については簡単にふれておいた。

除名に関する判例は、他の労働事件に比して決して少くはない。もちろん、労働事件の一般的な傾向がそうであるごとく、除名に関しても最高裁の判例はほとんどなく、これまでには僅かに仮処分の必要性に関する名古屋交通労組除名事件がみられるにすぎないが、主として除名の正当性を争う下級審の判例はかなりの数に上つている。これらの事件を通してみた除名問題の性格、すなわち、わが国においては、組合の除名権が社会的にどのようなものとして機能しているかは、法律問題の焦点を明らかにするためにも必要な前提だと考えられるので序論において概観しておくことにした。

また、除名問題は、ユニオン・ショップ条項による解雇に関連して、労働委員会にもちこまれるケースが多く、いくつかの興味深い事例もみられるのであるが、紙数の関係上本稿においてはそれらは一切除外し、裁判所の判例だけにかぎつている。

（昭和三二・一一　記）

一　序　説

労働組合にとつて、なによりも団結が不可欠の要素であり、つねに強固な統一を維持することがその存立のための要件となつていることはいうまでもないであろう。したがつて、団結を維持するために、組合が組合員に対しなんらかの強制を加えうることは当然のことといわねばならない。しかも団体交渉を通じて有利な労働条件を獲得するための組合の力が、組合の団結力、すなわち組織的力量のいかんにかかつている以上、団結の維持強化は組合の最大の関心事であり、かかる点からも組合の内部的規制は、組合の存立運営に関する重要な問題とならざるをえないのである。

ユニオン・ショップ制やクローズド・ショップ制、あるいはいわゆる唯一交渉団体約款が、いわば外部に向けられた組合の団結強化策、すなわち労働力の売手として競争関係に立つ未組織労働者並びに他の組合をできうるかぎり自己の傘下に吸収して、労働市場における排他的な独占的支配組織を樹立しようとする組織拡大策であるとするならば、各種の制裁によつて裏付けられた組合の統制は、内部に向けられた組合の組織力の維持強化策の一つであるということができる。

組合が内部の統制と秩序を維持するためにその違反者に対して課す制裁は、通常は組合規約に定められ、例えば戒告、譴責、権利停止、制裁金の賦課、除名等の多岐に亘るが、除名はその中でも組合員としての権利と資格を剝奪する点において最も重い処罰形態である。しかし組合の統制ないし秩序違反の甚しい者を組織外に排除しうる措置が講ぜられるのでなければ、団結を維持し難いことはいうまでもない。つまり「組合員を除名することのできない組合は規範的には考えられないのであつて、譴責とか権利停止とかいう罰則は組合の存立にとつて必ずしも不可欠のものではないが、除名は組合が共通の目的をもつところの団体であり、且つその目的が全組織の固い協力によつてのみ実現せられるのである限りは、その存立にとつて不可欠のものでなければならない」（沼田「団結権擁護論」下一八頁）のである。

さて、わが国において、除名の効力が裁判で争われた例は、他の労働事件と比較すればむしろ多い部類に属する。とくに終戦直後から昭和二四年頃までの間にはそれは全労働事件数の約一割にも及んでいる。(二)

(二)　試みに地方裁判所の仮処分事件受理件数を調べれば、「組合の内部関係」に関する件数とそれの受理総数に対する比率は、昭和二三年一六件（一三・八％）、二四年三〇件（八・五％）、二五年三〇件（三・八％）、二六年三件（二・二％）、二七年六件（四・八％）となつている（最高裁事務局「労働関係民事裁判例概観」昭和二八年十月、一八九頁）。　この数字には除名以外の組合の内部関係に関する争いも含まれるから、除名に関する事件の件数として引用するのは必ずしも当をえたものとはいい難いが、判決録に記載せられた「組合の内部関係」に関する事件の殆んどのものが除名に関するものであることを考えれば、この数字から除名に関する事件の趨勢を判断してもそれほどの誤りは生じないであろう。

さらに判決録に記載せられた具体的な事件の内容からこれらを概観すれば、その大部分のものが組合員の反組合的言動を理由とする除名の効力を争うものであり、とくに初期の除名事件の大多数のものは、組合の尖鋭分子、共産党員ないしその同調者の反組合的言動を理由にこれらのものを組合から追放しようとしたものであり、しかもその中の殆んどのものがいわゆるユニオン・ショップ制と結び

ついてこれらのものを企業外に放逐しようとしたものであることが窺われる。(二)

(二) 労働資料所載の除名事件八件の中七件、労民集二五年度分四件中全部のものが共産党員ないしその同調者の反組合的言動を理由とする除名事件である。因みに、被除名者たる原告側が勝訴した件数は、右の計一二件の中、僅かに二件にすぎない。

このように除名の効力が裁判で争われた事例がかなりの数に上ることは、一つには終戦以来わが国の労働組合においては左翼系分子といわゆる民同系分子との対立が激しく、互に他を組合から排除しようとする組合内部の主導権の争いがしばしば起つたためであるということができる。しかも終戦直後から昭和二四年頃にかけて共産党員もしくはその同調者の除名に関する争いが除名問題の主流をなしているのは、これらのいわゆる尖鋭分子が組合員大衆から極度に遊離した激しい組合活動を行った反面、ユニオン・ショップ制と結びついて共産党員もしくはその同調者を企業から放逐する実質的なレッドパージが除名問題の形をとりつつ進められたことを示すものであろう。しかしまたつぎのような事情も考慮に入れられねばならない。すなわち、わが国の労働組合がクラフト的伝統の上に生育した横断的な組織ではなく、戦後急速に結成された企業内全員組織の形態をとつていることである。組合がクラフト的な階級組織であるならば、組合員の除名は、純粋に反組合的な活動つまり団結への脅威の除却という観点からのみなされる筈であるが、企業内組合の形態をとつているところにおいては、ややもすれば職業的連帯意識、階級意識よりは企業内的従業員意識の方が優越し、組合の総意という形をとりつつ企業秩序を乱すものを排除せんとする傾向を帯び易い。しかも企業内組合の特殊性から、組合員の除名は、ユニオン・ショップ制と直結することにより、同時に反経営者的な組合の戦闘的分子を企業から追放するものとして機能し易いのである。組合の尖鋭分子の言動は、従業員組合の意識においてはともすれば、秩序紊乱者であると考えられがちであり、それゆえに組合の秩序違反、統制違反の枠が、純粋に団結を維持するという観点からするよりは広く解釈され易いのである。このようにわが国においては、本来団結維持の一つの手段であるべき除名が、組合内の政争の具に供されたり、あるいは反使用者分子の追放に利用されたりし易い危険性をはらんでいることを指摘しつつ、除名問題の法律的な分析に移ることにしよう。

二　除名の法的性格

一　除名権の本質

労働組合は、集団的利益の擁護のために、労働者を一つの団体に組織づける。そして、その目的を達成するために、組合は組合員に対し、組合規約もしくは組合の決定を強制しなければならない。すなわち、労働組合は、個々の労働者の労働力の取引における不利な立場を、団結の力によって克服し、より有利な労働条件を獲得しようとするものであるから、組合員に対しなんらかの統制を課しうるのでなければ、到底その機能を果しえないであろう。

組合が行使する統制権は懲戒権を含み、あるいはこれによつて裏打ちされていなければならない。すなわち組合は、組合員に対し、制裁をもつて組合の秩序に違反せざるよう警告し、違反の甚しい者を組織外に排除しうるのでなければ、その円滑正常な運営は期し難いのである。組合の団結力およびその有効性は、一にかかる統制権にかかつているといつても過言ではない。組合の内部的規制すなわち組合員に対する統制権ないし懲戒権は、以上のごとき労働組合の本質から必然的に導き出されてくるものである。憲法二八条の団結権の保障は、かくのごとき組合の統制力を法的にも容認したものということができよう。換言すれば、「労働者は、組合の統制に服することによつて低次の自由を捨て高次の自由と生存を得られるという論理が、その統制権の裏付けになつている」（松岡「労働法概論」一七四頁）のである。

除名は、かくのごとき組合の懲戒権の具体的発動形態である制裁の一つの型である。判例はすべて除名の根拠を団体としての労働組合の本質に求めている。つぎの判例はかかる立場を最も明確に示すものである。

【1】「凡そ団体はその組織を維持するために内部的規制を必要とし、これなくしては到底その円滑正常な運営を期し難い。従つて、団体はその組織員に対して制裁をもつてその違反なきよう警告し、違反の甚しい者に対してはこれを組織外に排除する措置を講じ得なくてはならない。このことは団体法理から必然に生ずる帰結であつて、特に法律の規定を要するものではない。労働組合も一の団体である以上、その統制に従わない組合員をその組合より排除するためこれを除名し得ることは当然であろう。」（名古屋交通労組除名事件、名古屋地判昭二六・九・二九労民集二・五・六〇〇、同旨、柳川他「判例労働法の研究」一六六頁。池田「解雇の法律問題」九八頁）。

【2】「労働組合も一個の団体的組織である以上、その組織を維持発展せしめるためには、内部的統制を必要とし、これに違反した組合員に対しては懲罰をもつてのぞみその防過を計ることは当然のところといわねば

ならない。」（近江絹糸労組除名事件、大津地判昭二九・一一・三〇労民集五・一一・七）。

このように組合に内部的規制権の存在を認め、これを労働組合の団体としての固有の権利として構成する判例の立場は、同時に組合規約に除名事由が明確に定められていない場合においても、当然に組合員を除名することができるという立場に立つことを示すものである。学説もこの点に関しては異論はない。「組合の除名権は組合の根源的な権利」であるから、「必ずしも規約において明定することなくてもこれを行使しうる」（沼田前掲書二三頁）というのが通説を代表するものと考えてよいであろう。もっとも吾妻教授は、除名事由についての規定を欠く場合には、「団体の存立を危くする重大な統制違反等の存する場合を除き、除名はこれを行いえないものと解すべきであろう」（吾妻「労働法」青林一二四頁）と述べておられるが、例外的にもせよ、重大な統制違反の存する場合には除名しうることを肯定されるわけであるから、通説とさほどの距りは存しないというべきである。

したがつてわが国においては、英米、あるいはかつてのフランスにおけるがごとく、組合員に対する制裁の根拠を組合と組合員との契約に求め、それゆえに組合規約に除名についての規定を欠く場合には、組合員を除名しえないと解する説、ないしは一種の罪刑法定主義の立場から規約の拡張ないし類推解釈を禁じ、したがつて組合規約に除名事由が定められていない以上、組合員を除名しえないと解する説は存在しない。

二　除名権の限界

組合の懲戒権ないし除名権が労働組合の本質上不可欠のものであるとしても、それが無制限のものでないことは除名の本質から明らかなことであろう。裁判例はつぎのように述べる。

【3】「しかしながら、(1)いかなる行為が右の統制違反に当るかといえば、それは叙上労働組合の性格にかんがみ、組合の団結を紊し、その機能発揮に支障を来たす等組合としての正常なる維持運営を阻害する行為、いいかえれば組合の内部規制に関する行為に限らるべきである。また(2)統制違反行為に対して科せらるべき制裁についても、それが組合内部の秩序維持の問題たることよりして自から限度が認めらるべきであつて、もしその制裁が違反行為に照らして著しく苛酷であり、社会通念による限界を超えている場合には、かかる制裁は懲罰権の濫用に属するものとしてその効力を否定さるべきであろう。」（前出【2】と同事件）。

すなわち労働組合も団体的組織である以上、その組織を維持するために内部的統制を必要とし、これに違反した組合員に対しては懲罰をもつてのぞみ、その防遏を図りうることは当然のことであるが、(一)組合の統制権、懲罰権は組合の内部規制に関する行為にかぎつて発動さるべきであり、(二)それに対する制裁も、組合内部の秩序維持の観点から、違反行為の重大性に応じて科せらるべきであるというのが判例の立場である。

三　除名の正当性

一　除名の有効要件

このような除名の本質に関する判例の見解をさらに展開すれば、除名権は、団結維持の目的から、組合の内部規制に関する行為のみを対象とし、自主的にかつ正当な手続にしたがつて行使さるべきであり、これが除名の有効要件であると解されているといえよう。

（一）第一に労働組合は、労働者の経済的地位の向上を図ることを目的とする団体であるから、組合の統制権、懲戒権もこの目的にしたがつて行使されないかぎり、正当なものとはいい難い。それゆえに組合全体の利益擁護という基本的目的以外の理由によつて除名を行うこと（例えば単なる報復のためにする除名等）は許されない。この点を明示した判例は少いが、組合員の地位向上のためとくに必要な場合でないかぎり、組合員の特定の政治的活動を禁止し、制裁の規定によつて右禁止を強制する組合の決議は無効であると判示したつぎの裁判例は、憲法の保障する団結権そのものを根拠とせず民法第四三条の「目的ノ範囲」の解釈理論を根拠としている点でかならずしも妥当なものとはいい難いが、ともかくも結論的には除名権の行使が、団結維持の目的にしたがつてなさるべきものであることを示したものといいうるであろう。

【4】「労働組合は設立登記をなしたときは法人となり、その登記をしないときにも権利能力がなき社団として法人に準じて考察すべきものであるからその権利能力したがつて行為能力は民法第四十三条に準じ規約によりて定まりたる目的の範囲内にあるものと解すべく、みぎ目的の範囲なる限度は組合の外部にたいする取引もしくは行為に関しては第三者の利益保護のためこれを広く解釈する必要があるけれども、組合対組合員間の内部関係においてはその行為が実際に目的達成のため必要であるか否かにより定めなければならない。したがつて本件の決議〔組合大会における共産党フラク活動排撃の決議―筆者註〕が有効に組合の決議として成立するか否かはその決議が組合の目的達成のため必要であるか否かによつてきまるものというべきである。

よつてこの点を考うるに被申請組合たる本質上明示しなくとも当然に組合員の労働条件の維持改善、その他経済上の地位向上を図ることを目的とするものとみとめられるが、……（被申請組合規約）並びに弁論の全趣旨によれば、被申請組合の規約に定立された目的としては……要するに経済的な産業の興隆民主化組合員労働者の経済的地位向上をはかる旨を定めているのであつて、組合員に対して政治的な一定の態度を要求するものとはみとめられない。したがつて組合員に対して一定の政治的態度を求むる決議をなすためには、これが具体的な場合に組合員の地位向上のためとくに必要である事情がなければならない。しかるに被申請組合が共産党員のいわゆるフラク活動なる政治活動を全面的に禁止しなければならないようなさしせまつた事情は被申請人等の全疎明によるもこれをみとめがたい。……従つて決議をもつて共産党フラク活動を禁止し、制裁規定をもつて組合員に強制することは被申請組合の目的の範囲外の行為であつて右決議はその余の争点に付いて判断する迄もなく当然無効と謂わなければならない。」（扶桑製鋼労組除名事件、大阪地判昭二四・六・二五労働資料六・二一九）。

(二)　以上のことと関連して、組合の懲戒権が、その内部規制に関する行為のみを対象として発動さるべきであることは当然である。例えば、

(1)　作業怠慢を理由に組合員を除名した事案につき、作業怠慢の事実は、従業員として会社に対して有する労働契約上の義務履行に関する事柄であつて、毫も組合の内部規制に関するものではないという理由で除名を無効としたつぎの判例は、正当と評すべきである。

【5】　「前記組合の賞罰委員会において除名事由として取り上げられた原告の作業怠慢の事実の如きはむしろ原告が被告会社の従業員として会社に対して有する労働契約上の義務履行に関する事柄であつて毫も組合の内部規制に干するものではなく、また右の作業怠慢の程度にしても左して重大なものがあつたとは認められないのであるから、右のいずれの点よりするも本件除名処分は正当の理由に基かない不適法のものというべく、手続上の瑕疵を云々するまでもなく明かに無効だといわねばならない。もつとも組合の賞罰委員会規則（乙第三号証）第八条には、懲罰を適用する範囲の一つとして〈素行不良で工場の秩序風紀を紊したとき〉が定めら

れており、前記証言によれば組合では原告の行為が該条項に該当するとして除名を決定したものであることが推測されるのであるが、組合の組合員に対する懲罰権の根拠がすでに述べたように使用者たる会社の利益擁護のためではなく、専ら組合自体の維持統制の必要に存することからすれば、同条項の〈素行不良〉というのもひとえに労働者の団体たる労働組合の組合員としての品位を汚し、よつて組合全体に不利益を及ぼす如き不良行為を指称するものと解するのが相当であつて、この意味において原告に除名に値する〈素行不良〉があつたとは認められないから、かかる規則の存在する事実をもつてしても未だ前示判定を覆えすには足りない。」（【2】と同事件）。

(2)　さらに除名問題は、とくに組合の統制と組合員の政治活動の自由、言論の自由等との衝突点において現われる。具体的な問題については除名事由の項において再び考察するが、除名権の限界の問題としてここでは一般的な考察を試みておく。

もちろん、政治活動の自由、言論の自由は、憲法の保障する基本的人権であるから、労働組合といえども原則的にはかかる個人の自由に干渉しえないというべきである。しかし政治活動ないし言論の自由も、決して絶対的なものではなく、相対的にすなわち他の基本的権利・自由との相関関係において決せらるべきものであるから、すべてに優先すると考えることはできない。労働者が労働組合に加入した以上、組合の目的を阻害するような行動に出でえないことは当然である。したがつて個人の政治活動ないし言論、宣伝活動が、組合の団結を紊し、その機能発揮に支障をきたす等、組合としての正常な運営を阻害する場合には、組合員は、組合の意思にしたがうことを強制される場合も生じうるであろう。

同時に、すでに述べたごとく、組合の統制は労働者の経済的地位の向上という組合の目的達成のために必要な限度においてのみ行使さるべきであり、それゆえに組合員の政治活動ないし言論宣伝活動が、組合の内部規制に関する問題として登場した場合にのみ懲戒権を発動しうると解すべきである。

この趣旨を示したものとしてつぎの判例をあげることができる。

【6】「原告等は国民の政治活動の自由に関する憲法の保障は組合規約又は組合決議を以て奪うことができないものであると主張するが、組合がその統制維持のための必要から自主的に組合員の組合の統制を乱す行為を禁ずることはたとえその行為が政治活動であっても組合員の国民としての政治活動の自由を奪うものと言うを得ない。」(鐘紡西大寺工場労組除名事件、岡山地判昭二四・一〇・三〇労働資料七・三五八)。

【7】「憲法第十四条及び第十九条に違反するとの点は何人も信条により差別待遇を受けない、思想の自由を侵してはならない、との趣旨に反するとの意であろうが、1に記載の如く申請人等の責任を問われたのは既に信条の範囲を踰越して居るものであり、又思想の自由も単に内部的思想の範囲に止まらず外的行動に現われた場合組合が其の団結を維持する為組合員の行動に統制を加えることは組合員の私生活の全分野に亘ることは不可であるが、或る限度に於いて許されること、本件は1記載の如く組合員の行動を正当な範囲内で制限した決議に違反するところから制裁を課したもので右憲法の条文と背戻しないものである。」(小野田セメント阿哲工場労組除名事件、岡山地決昭二五・一〇・一三労民集一追・一三三三)。

【8】「組合規約第一三条において組合員に政治活動に対する自由の権利を保障しておることは疎甲第一号によつてこれを認めることができる。

この規約によつて組合に対し保障されている組合員の政治活動の自由は組合員が特定の政党その他の政治団体を支持し又はこれに反対する等政治的な影響をもつことを目的とする行為をしたからといつて、そのことのために組合員として不利益を被むることのないように政治活動の自由の権利を保障したものと解するのが相当であるばかりでなく、この組合員の権利そのものは組合規約を所定の手続によつて改正するのでなければ、組合執行部は勿論、組合総会の決議によつて奪うことは許されない。

従つて本件において組合総会において右規約に定める右組合員の政治活動の自由の権利を剝奪する決議をしたものであればその限りにおいてその決議は無効と解するの外はないであろう。

従つてかかる決議に違反して組合員が政治上の活動をしたとしても右決議に違反すること又は、かかる政治活動をしたことを理由に当該組合員に懲罰を課し得ないものと云うべきである。然しながら、かような組合規約があるからといつて組合の総会の決議を以て組合員の政治活動はいかなる意味においても制限をなすことを得ず、又組合員はいかなる政治活動をもなし得るの自由を有し政治活動をなしたことを理由としては当該組合員を除名することはできないと即断することはできない。

労働組合は労働組合法第二条所定の目的を遂行するため組織された団体であるから、組合が自己の目的を遂行するため自らその団結を維持しその存立を確立するために諸措置を講ずる必要があることは当然である。労働組合は労働者の労働条件の維持改善その他経済的地位の向上を図ることを目的とするのであつて、政治運動又は社会運動を主たる目的とするものではない。

勿論現在の経済社会において経済問題と政治問題とは密接な関係があることはもちろんであつてその限りにおいて労働組合の目的遂行のために政治活動がなされることはあるけれども、両者は常に一致するものとはいえず組合員のなす政治活動が組合の存立目的を脅かし、或は組合の団結に著しい脅威を与えるものであると認められる場合には組合はこれらの障害を除去し、組合の団結とその存立を維持するため、その統制を紊すような組合員に対しその政治活動に或る程度の制限を加えることもできるものと云わなければならない。

相手方組合が組合規約（疎甲第一号証）第一四条において、組合[員]の義務として、此の組合の規約諸規定と総ての決議を尊重し、制限に服する義務を規定し、第四八条第三号において、組合は組合員に組合の統制を紊す行為があつた場合に制裁処分を課し得ることを規定しておるのは前記のような組合の団結と存立をあやうくする如き政治活動に対しても、これを除外する趣旨とは考えられず、従つてこの限りにおいて総会において組合の統制を紊す虞のある政治活動の制限をなし得るし、組合員は右決議を尊重しなければならないし、政治活動の自由の権利を有するからといつて、その自由の範囲を逸脱してはならない。」（小野田セメント除名抗告事件、広島高岡山支決昭二八・四・三労民集四・四・二七五）。

【9】「原告は、右〈信鈴〉中の被告組合を批判した記事は言論の自由の範囲内に属し、他からなんら干渉すべきものではないと主張する。もとより、原告が個人の地位において被告組合の態度を批判した記事を公にすることは言論の自由として許され、他よりみだりに干渉し得ないことその主張の通りである。しかし、原告Bが純然たる個人の立場を離れ被告組合の組合員として組合を批判する記事を公表する場合には、被告組合の統制に服しなければならぬことも亦当然である。即ち被告組合はその組合としての立場から組合員の不当な言論に対し或る程度の制約を加えることは、場合により止むを得ざる処置として是認されねばならない。ところで成立に争のない甲第一号証によると、右〈信鈴〉の記事中には或いは組合の決定事項に対し反対を唱え或は組合の運営についての外部の批判を書きたて、被告組合の統制を紊すものを含んでいるから、被告組合がこれに対し組合の立場から或る程度の制約を加えることは、なんら原告の言論の自由を侵害するものではない。従つて原告のこの点に関する主張も亦理由がないといわねばならぬ。なお原告は、右〈信鈴〉の執筆者は原告でないと主張するが、右執筆者が誰であろうとも原告Bが右記事の内容を了知してこれを職場に配布した以上、原告が右記事の発表につきその責任を負うべきことに変りはないであろう。」（前出【1】と同事件）。

以上の裁判例（並びに後出除名事由に関する判例参照）からも明らかなごとく、判例の多数が、統制違反の点においては政治活動ないし言論宣伝活動なるがゆえに特別の保護をうけないと解しているのに対し、前出【4】の判例は原則として組合は組合員の政治活動を禁止しえないと判示した少数例である。
しかし、前者の場合でも、信条の自由ないし言論の自由は、原則的には保障さるべきであり、かつ組合といえども、労働者の私生活の全分野に亘ってこれを禁止することはできないが、組合の運営上これに一定の統制を加えることが許されるということを前提としており、後者の場合でも、組合員の政治活動が組合員全体の経済的地位の向上という労働組合の目的を阻害するときにはこれを禁止しうることを認めているのであるから、結論的には、大差はないとみるべきであろう。

(3)　つぎに労働組合は、使用者主催の反共的政治教育を主眼とする従業員特別講習会に参加することを禁止しうるか否かが争われた事件がある。判例はつぎのように述べる。

【10】　「本講習教育を受くるかどうかは、業務上は、原告等の自由であるが、他方、被告組合はその団結を維持するため所属組合員の行動に対し或る限度の統制を加えうることはあきらかであり、従って、この限度において原告等の右の教育の自由に制限を受くることのあるのは、これまたやむをえないところと考える。すなわち、原告等が本講習会に参加することが、被告組合の団結を弱化さすおそれがあると疑うに足りる合理的な理由がある場合には、被告組合は、この参加を禁止することが出来るものと考える。」(三井美唄除名事件、札幌地岩見沢支判昭二八・一・三一労民集四・二・八八)。

組合が内部関係において厳正な規律を要求しうることを容認した点で、この部分に関するかぎりは正当と評しうる。

(三)　さらに組合員の懲罰は、自主的性格を有する組合の内部的な自己統制の問題であるから、その決定は当然に自主的に行わるべきである。したがつて会社の支配介入によつて組合が組合員を除名するような場合は、不当労働行為としても無効であるが、御用組合のなす除名とともにその決定が自主性を欠く点で無効というべきである。右の例とは若干異るが、つぎの事案（かねて出炭成績不良のため炭坑特別調査団の調査をうけ、強力な労使協調体制の樹立を要請されていた炭坑において、鉱員と職員の紛争に端を発する一部のストライキが発生し、そのため右調査団より加配米、褒奨物資、特配物資の配給および炭住計画の各停止の措置がとられ、炭坑全体が苦境に陥入つたにもかかわらず、同坑共産党細胞は闘争宣言を発し、ストライキに拍車をかける態度に出たため、会社、労働組合、職員組合の三者会議において右細胞たる組合員を除名すべきことを決定し、これにもとづいて組合においてこれらの者を除名した）につき、被除名者が、除名は、組合が自主的に解決すべき事項であるにもかかわらず、前記三者会議の決定によつて除名したことは違法であるとしてそれの無効を主張したのに対し、裁判所はつぎのように判示して、除名の有効性を認めている。

【11】　「三者会議に除名決定の権限を認めることが、果して妥当かどうかに付て判断するに、当時の平山炭坑の客観状勢は、労資が協力一致して増産に邁進しなければならない時であつた。然るに……同炭坑全従業員並会社全体の死活に関する事態が発生するに至つた。而も申請人等は此の事態を更に悪化せしめる態度に出たのである。此の窮地を同一の運命の岐路に立つ会社、労組、職組の三者が一体となつて、克服することは事理の当然と言わなければならない。先に述べた三者会議の成立過程その目的、性格並申請人等を除名するに至つたその実状を仔細に検討するとき、此の会議に斯る権限を認めることは妥当であると判断する外はない。

而も以上認定の諸般の事情を考慮した場合申請人等を除名退散させることは、此の際真に已むを得ざる実質的理由があつたと認めることが出来る。

申請人等の主張する(1)乃至(5)の除名無効の理由は畢竟除名は飽く迄も労組自身の決定すべき事柄であると言うことに帰着するが、労組自らが平山炭坑全体に斯る非常の事態を招来させておき乍ら全体の為、実質的必要のある除名権限換言すれば事態解決の権限まで自己のみにしかないと主張するのは、思わざるも甚しいと言わなければならない。

……臨時総会では慥かに申請人等の主張する通り、除名を三者会議に委託する決議のなかつたことは明かであるが、斯る事実は右の理由からして別に顧慮する必要はない。尙三者会議は憲法、労働法の根本精神に反すると主張するが、全体の幸福を祈念し、実現する三者会議の根本精神こそ憲法、労働法の精神に沿う所以である。」（明治鉱業平山炭坑労組除名事件、福岡地飯塚支判昭二四・二・一八労働資料四・一二六）。

判旨は要するに特殊な事態の下においては、組合員の除名の決定を組合内部の自主的決議によらないでなすことも可能であるとする趣旨であろう。しかし法律論としては、論拠が不明確であるし、なによりも労働法的センスを欠く点で賛成し難い。組合員の除名について組合以外の機関が決定権をもつことはいかなる意味においても許されない。自主性を欠く除名の決定はやはり無効とすべきである。

(四)　組合の制裁は、団結強化のためという組合員の規範意識の上に成立しているものであるから、その意思を具体化し、その存在を明確にする手続にしたがつて行われることを要する。それゆえ除名手続が組合規約またはこれにもとづく賞罰委員会規則等に定められている場合には、これに違反することは許されず、除名手続についての規定を欠く場合には、多数者の意思が正当に表明せられる手続――例えば組合大会の決議――を経ることが除名の有効要件とされる（手続の正当性に関する判例の概観は後に行う）。以上の外、除名処分も法律行為としての一般的な制約に服し、違法あるいは公序良俗に反して行使されてはならないことは改めて述べるまでもないであろう。

二　除名の正当性と除名の効力――除名の適否に関する司法審査権の範囲――

つぎに、組合員の一定の統制違反に該当する行為に対し、団結維持の目的から、組合が自主的に所定の手続を経て当該組合員を除名した場合に、裁判所はかかる組合の自主的決定をそのまま容認すべきであるか否かが問題となる。すなわち「組合員に制裁に該当する違反行為があつた場合、これに如何なる制裁を科するかは組合が自主的に決定すべき事柄である」（後出【16】）のか、あるいは「元来統制を紊した組合員に対する制裁は本来組合内部の自己統制の問題であるから組合の自治を尊重しなければならないことは勿論だが、その自治にも社会通念による限界」があるのは当然であり、とくに除名は「刑罰における死刑にも相当する極刑であり」かつユニオン・ショップ約款のある場合には「従業員たる資格の喪失をも招来する重い制裁であるから、組合の主観的判断のみによつて決することは許されず、客観的妥当性のある場合であることを要する」（三井美唄炭鉱労組除名事件、札幌地岩見沢支決昭二七・七・二九労民集三・四・三六一）のかが問題となる。それは同時に除名の適否に関する裁判所の介入の範囲にもかかわる問題であるので併せてここにおいて考察しておく。

まず除名は労働組合の内部規律に関する問題であるから、本来組合の自治に任さるべきであることはいうまでもないが、他面、それは組合員の権利に関する問題でもあるから、この点からそれが司法審査の対象となりうることは否定しえないところである。判例は一致してこのような見解を採る。

【12】「組合員は組合員となつたことに因つて自己の持つ或る種の権利を処分したのではあるけれども、而かも尚且つその個人的立場法律上の地位を全然喪つた訳ではない。依然として組合に対しても自主、独立、平等性を保持し、個人として尊重さるべきである。そして除名は組合によつて此等の個人的立場、法律上の地位が侵されるものであるから、それに値する丈の正当な事由がなければならないのであつて、法律規約と雖何等の事由なくしては之を奪うことは出来ない。除名は被除名者の法律上の地位を奪うものであるとすれば除名が有効であるか否やは法律上の争であり、除名の理由が正当であるやも亦法律上の争であつて結局は裁判所の判断に依て決定さるべき問題であると云わねばならぬ。」(東洋陶器従組除名事件、福岡地小倉支判昭二三・一二・二八労働資料三・一四八)。

【13】「元来除名処分は組合員としての身分を奪う行為であり、殊に本件の如くユニオン・ショップ約款の存する場合における組合員の除名はこれによつて従業員としての地位をも喪失せしめ、該組合員の生活権を根底よりゆるがすものであり実に憲法に保障する基本的人権にもつながる重大なる処分であるから、それが司法審査の対象となることはいうを俟たないところである。」(潜龍礦労組除名事件、昭二九・七・二三労民集五・六・六二六)。

【14】「労働組合は自主的団体であるけれども、組合員除名の決議は組合員に対し、組合員としての権利を剥奪するものであるから、除名決議の効力が争われる場合に裁判所がその当否を審査し得べきこと勿論であり、従つて、除名事由について組合規約をもつて限定している場合は、右除名事由に該当するかどうかについても裁判所の判断に服すべきはいうまでもない。」(杉田屋印刷労組除名事件、東京地決昭三〇・六・三〇労民集六・四・三九一)。

しかしながら問題は、裁判所が除名の適否を審査するに当り、どの程度まで組合の認定を尊重すべきであるかという点に存する。

この点に関しては判例は二つに分かれる。

第一につぎの裁判例は、組合員に除名事由に該当する非行が認められる以上、これにいかなる制裁を課すかは、組合が自主的に決定すべき事柄であり、それが権限ある機関により適法な手続によつて行われ、かつ著しい行きすぎがないと認められるかぎり、たとえ除名が酷に失すると思われる場合であつても、有効なものとして取扱うべきであると解する。

【15】「およそ労働組合内部における規律と秩序の維持は、その組合の自主的統制に委かすべきであり、その特に著しい行き過ぎのない限り、無暗に外部より干渉を加うべからざるは勿論である。」（名古屋交通労組除名事件、名古屋地判昭二四・二・二六労働資料三・一六〇）。

【16】「除名の理由が前記認定の通り、右ビラの配布行為に止まるものとすれば、それは規約違反行為として大して重大なものとは思われないから、その制裁として原告を除名するが如きは、いささか苛酷に失するとの感を免れないが、いやしくも組合員に制裁に該当する規約違反行為があつた場合、これに如何なる制裁を課するかは、組合が自主的に決定すべき事柄であり、前示組合規約により幹事会の裁量に任せられているのであるから、前示幹事会が規約所定の手続に従い原告の除名決議を為した以上、それが、社会通念上著しく妥当性を欠くものと認められない限り右決議が当然無効となるわけはないのである。」（オーエム紡機製作所出雲工場従組除名事件、松江地判昭二五・一一・二〇労民集一・一・一一九）。

【17】「労働組合は勤労者の経済的地位の向上を計ることをその主要目的とするのであるが、その自主的民主的独立性が特に強く要望されること、組合員の懲罰という問題はその自主的民主的独立的性格を持つ組合の内部的な自己統制の問題であること、更に又、組合が制裁を決定するには多数者の意思のあるところを正当とする多数決制度によつていること等に深く考慮を致すならば、正当な手続に従つてなされた懲罰決議は、特別の事情がない限り、即ち右決議が法の強行規定に違反する場合、当該組合が御用組合化して自主的性格を失つ

ているため決議自体が組合の自主的な意思と認められぬ場合、乃至は組合が懲罰権を故意に濫用した場合を除いては有効なものと認めなければならない。」(山形新聞労組除名事件、山形地決昭二四・七・一七労働資料七・三四六)。

【18】「申請人の前記行為により組合の蒙つた損失と除名処分の申請人に与える影響とを比較検討すれば本件の場合その制裁として申請人を除名処分にするのは、客観的に見ていささか苛酷に失するとの感を免れないが、他面組合員に制裁に該当する違反行為があつた場合これに如何なる制裁を科するかは組合が自主的に決定すべき事柄であることや、申請人の前記行為が被申請人組合の前記闘争態勢中のものであり而もその処分も右闘争中の組合により為されたものであること等をも考え合せれば必ずしも右除名処分が著しく妥当性を欠き苛酷に過ぎるものとは認め難い。」(前出【13】と同事件)同旨(潜龍礦労組除名事件、長崎地佐世保支判昭三二・二・八労民集八・一・一)。

これに対し、多数の裁判例は、除名の適否を審査するにあたつて組合の自治を尊重すべきことは一応承認しながらも、その自治にも社会通念による一定の限界があることを認め、とくに除名が組合員としての身分を剥奪する処分であり、またユニオン・ショップ約款のある場合には、従業員としての身分をも喪失せしめることから、それは組合の主観的判断だけでは足りず客観的にみて正当な理由のある場合でなければ許されないと解している。

【19】「元来、組合の統制をみだした場合、これに如何なる処罰を科するかは、組合内部の自己統制の問題であるから、組合の自治を尊重せねばならぬことは勿論である。特に団結を生命とする労働組合において、この組合自治の原理が強く尊重されねばならないことも、これ又言うをまたない。しかしこの自治にもおのずから限界がある。統制違反の認められる限り、これに如何なる処罰を科するかは、全く組合の自由であるとする被告の所論は到底採用し難い。もしその処罰が違反の情状に照らし著しく過酷であり、社会通念による限界を超えている場合は、その処罰は処罰権の濫用に基くものであつて無効である。

特に除名はその者を組合から追放し、組合員としての身分をはく奪する刑罰における死刑に相当する極刑であり、殊に会社と労働組合との間に所謂ユニオンショップ協定が締結されている場合における組合員の除名は、従業員たる身分をもはく奪する重大な制裁であるから、例えば統制違反行為が、著しく反組合的であつて、組合に甚大な損害を与えたとか、或はその違反者を除名しなければ到底組合の団結を維持することが出来ないような場合でなければ除名の正当な事由にはならないと考える。」(前出【10】と同事件)。

【20】「元来労働組合は自主性独立性を要望される労働者の団体であつて、組合が其の規約に従つて組合員の除名決議を行うのは組合内部の自己統制の問題であり極力尊重すべきであるが、右決議が違法或いは権利濫用に亘る場合は無効である。」(倉敷レーヨン倉敷工場労組除名事件、岡山地判昭二五・一一・一〇労民集一・六・一〇九二)(同旨前出【12】事件)。

しかし前者においても除名が「著しい行き過ぎ」ないし「社会通念上著しく妥当性を欠くもの」と認められる場合には、無効であることを理論的に認めるのであり、後者においても組合の自主的な決定を尊重すべきことを原則的に承認するのであるから、除名の適否に関する司法審査権のおよびうる範囲の問題としては、結論的にはそれ程の差異は存しないとみてよいであろう(一)。

(一)　学説では、組合自治の建前から裁判所の介入はできるかぎり差控えるべきであるという意見が支配的である(松岡前掲書一七五頁、楢崎「組合員除名の当否と争議の正当性」季刊労働法一八号等)。とくに除名が苛酷であるというだけの理由によつて、これを無効にしうるかという点では、つぎのような疑問が出されている。「元来労働組合の組合員に対する懲罰は、組合の内部的統制の必要から当然に認められる組合の自治的な行動であるから、こうした組合の立場から正当な根拠に基いて正当な手続に従つて自主的に行われたものである限り、その決定が苛酷に過ぎるからといつて、これを懲罰権の濫用としてその効力を否定することはおかしいのではないかと思う。懲罰権の濫用といいうるためには、それが組合の有する固有の権能の正当な行使でないことを要するのであつて、それが右に述べた点からみて、組合の権能の正当な行使であるならば、当該組合員の行為に比して制裁が除名というような重いものであつても、それは組合が必要と認めた判定として効力を有するのであつて、それだけでは、判定が苛酷だとしてその効力を否定することはできないだろう」（清水前掲）。

しかし、裁判所の介入は、具体的な事案によつてその程度を異にすると解すべきではなかろうか。すなわち、組合規約に除名事由についての詳細かつ具体的な規定が制限的に列挙されている場合には、相対的に司法審査権の範囲は狭くなり、裁判所は除名が規約上有効に行われたか否かを判断しうるにとどまるが、これに反し組合規約に除名についての規定を欠き、或は抽象的一般的な規定しか存在しない場合には、裁判所は統制違反に該当する行為が存在したか、それが除名に価するほどの重大性を有しているか等の点にまで立入つて判断を加えることができる。したがつて後者の場合には、違反行為に比し、除名が苛酷であるとして無効とすることも可能であろう。

四　除名事由の正当性

一　一般原則

すでに述べたごとく組合員の一定の統制違反行為に対して、いかなる制裁を科すかは、原則的には組合が自主的に決定すべき事柄であり、かかる組合の自治を尊重せねばならないことは勿論であるが、この自治にも社会通念による一定の限界があり、とくに除名は最も重い制裁であるから、客観的妥当性がなければならないというのが、判例の見解であつた。それでは、いかなる場合に除名は社会通念上著しく妥当性を欠き、権利の濫用となるのであろうか。換言すれば、客観的妥当性すなわち除名に価する行為の価値評価の基準はいかなる点に求めらるべきであろうか。

この点に関しては、多数の判例は、除名はその者を組合から追放する重大処分であるから、除名のためにはその者の行為が著しく反組合的であつて、組合に甚大な損害を与えたとか、あるいはその者を組合から追放しなければ到底組合の団結を維持することができないというような場合でなければならないと解している。

【21】「抑も除名はその者を組合から追放するのであるからそれが為にはその者の行為が甚だしく反組合性のものであつて組合に大きな損害を与えたとか、その反組合性から〔団結〕の維持乃至健全な発展が大に脅威されるとか云う様にその者が組合に留まることと組合の存立とが両立し難く組合からすれば、その者を追放することが止むを得ないと云う場合でなければ除名はなし得ないものと云わねばならぬ。」（前出【12】と同事件）。

【22】「ユニオン・ショップ協定が締結されておることは当事者間に争いがない。かような場合における組合員の除名は、従業員たる身分をもはく奪する重大な制裁であるから、たとえば、被除名者の行為がいちじるしく反組合的なものであつて、その者を組合から追放しなければ到底組合の団結を維持することができないというような場合、すなわち、一般社会通念に照らし、除名が真にやむをえないという場合でなければ、除名の正当な事由とはなりえないと考える。」（三井砂川労組除名事件、札幌地岩見沢支判昭三二・六・二五労民集八・三・二八一）（同旨【1】【2】【25】【26】事件）。

このような判例の立場は、一見、組合員の統制違反行為によつてうけた団結の不利益と除名によつてうける組合員の不利益のバランスの上に、除名に価する行為の価値判断の基準を置いているように思われる。しかし判例の真意はかかるバランス論にあるのではなく、除名権の本質から、団結を維持するのに不可欠な限度を除名に対する価値評価の基準とすべきであるという趣旨に解すべきであろう。

（一）　松岡教授は「組合員の行動によつてうけた団結の不利益と除名によつてうける組合員の不利益のバランスを考慮」して「統制の源である団結権と組合員個人の権利の調整を考えなければならない」（前掲書一七五頁）と説き、楢崎助教授は右のごとき判例の立場は「労働組合の団体的本質を看過し、個々の組合員の権利は労働組合を通じてのみ真に実現されるという社会的事実の認識を欠いた個人法的意識にもとづくバランス論であつて賛同し難いところである」（前掲書）と主張される。

つぎにこのような一般原則は、具体的なケースにおいてはどのようなものとして把えられているのであろうか。裁判例をいくつかの類型に分つて考察してみよう。

二　分派的行動

団結こそが組合の唯一にして最大の武器であることを思えば、組合員の分派的行動がまず著しい反組合的行為として非難の対象となることはいうまでもない。例えばある紛議について組合が会社と団体交渉を行つているときには、組合員はすべてこれを有利に展開しうるよう組合の統制下に統一的な行動をとることが要請される。したがつて、組合の統制のとれた行動を不可能にするような組合員の分派的行動が重大な統制違反行為を構成することは当然である。

この点に関し、越年資金その他について組合が会社と現に団体交渉を継続しているのに、一部組合員が委員長の意に反して独断で多数の組合員を参集させ、職場大会を開催し、就業時間中に職場放棄をさせたことを理由に除名された事案につき、裁判所はつぎのような判断を加えつつ、除名を有効と認めている。

【23】　「右集会並職場放棄は申請人等が相謀り多数組合員を煽動指揮して為さしめたもので、委員長前田直一の意思を無視して行われたこと、及この為組合は爾後の交渉に於て不利な立場に追込まれるに至つたことが認められるのであつて申請人等の提出援用する疎明方法によつては未だ右事実を覆すに足りない。このように一部組合員が独断で多数組合員をして就業時間中職場を抛棄し職場大会を開催せしめることはその意図の正否を問わず組合の統制を乱すも甚しいものと謂うべく、従つて申請人等にかかる事実が存する以上被申請組合の主張する他の事実〔の〕有無に拘わらず右一事を以て組合規約第九条所定の該当事由は之を充足するものと言つて差支えない。」（新家工業関西工場労組除名事件、大阪地判昭二五・一二・一四労民集一・六・一一〇三）。

同じく組合の闘争指令違反は著しい反組合的行為に該当する。組合が争議中ないし闘争体制下にあれば、それだけ団結の強化が要請される。したがつて争議体制中にあるか否かによつて、組合員の統制違反行為に対する評価にも差違が存し、争議中であれば当然これに対する法的非難も加重されると解すべきである。それゆえ、積極的な分派活動はもとより、消極的な組合の闘争指令違反も、争議体制下になされたものであれば、除名に価するほどの著しい反組合的行為に該当するとみなされても止むをえないであろう。

この点に関してはつぎのような裁判例がある。本件においては、Xが組合の闘争指令にしたがわなかつたのみならず、反面、会社側に廻つて争議行為を妨害し、不当労働行為となるような計画をも実行しているのであるから、除名に価する実質的な理由は十分に存するというべきである。

【24】　（事実）　原告Xはつぎのごとき反組合的行動を理由に除名された。⑴昭和二九年春季賃金闘争の一環

として、組合では時限スト、原炭搬出拒否、拘束八時間厳守、一斉一時間休憩等を行つたが、払の責任者であるXは、職場委員会の副委員長であり他の組合員を指導して闘争指令に従わせなければならない責務を負つているにも拘わらず、一斉一時間休憩を守らず、かつ闘争委員等の点検および注意、職場集会における注意をうけながらも引続きこれを守らぬことが多かつた。(2)Xは同年三月十四日夕刻「ひぐれ食堂」において他の払の責任者である訴外Yと飲酒した際、同人と一斉一時間休憩などについて会社側との間にあつての責任者としての辛さなどを話し合つている内に「上司のところに行つて何かよい話はないか話して見よう」と係長宅に赴き、態々礦務課長をも呼んで貰つて同所で共に飲酒しながら自己配下の数名（いずれも組合活動に熱心）の批評をし「気の合わぬものを替えて欲しい。そうすれば明日からでも貴方達の思い通りになる」とその氏名をメモした上係長にも写しておく様に要請した。

（判旨）「以上被告の除名事由とするところは一斉一時間休憩の持つ意義（この点については被告の主張だけでこれを裏付けるべき証拠はないが、かかるスト行為自体の持つ意義はその主張自体荒唐無稽なものでない限りそのスト方針をとつた当事者の意思に委ねらるべきであり、又その述べるところは寔に当然であつて何等加うべき点はない）と原告の前記行動の特質、辻田宅における発言内容とその時期、原告の組合及び会社内における地位等を併せ考えるときその行為は組合の団結を紊し、組合の闘争態勢を阻害したものであつて、従つて又団結を欠く組合として対外的な名誉をも毀損したものであり、当然成立に争いのない甲第五号証の前記組合規約第八十三条第二号、第三号の統制条項に該当するものとみるのが相当である。」（潜龍礦労組除名事件、長崎地佐世保支判昭三二・二・八労民集八・一・一四同旨、同事件長崎地佐世保支判昭二九・七・二三労民集五・六・六一七。本件については阿久沢氏の判例研究がある。同氏「反組合的行動をとつた組合員の除名の効力」季刊労働法二四号）。

これに反し、つぎの裁判例は、闘争中に組合員が分派的行動をとつたことは、規律統制を紊したことになると認定しながらも、これに対し制裁として除名を課すことは、社会通念上認められた組合自治の限界を逸脱するとして無効にしている。

【25】（事実） 常任執行委員であったX・Y・Zは、組合の赤字補塡金闘争に際し、ストライキに依て要求を貫徹するよりも会社に事情を説明して要求を貫徹するに如くはないと考え、他の委員の諒解なく会社側に面会して、要求を承認させた。組合は、右の三名のものが闘争本部会議の決議に反して単独交渉をしたことは、組合の統制を紊し、かつ会社側に精神的力を与え組合に無形の損害を与えたことになるという理由で除名。

（判旨）「交渉委員会の会合席上で個別交渉のことが話題に上り結局之はしない方がよろしいと言うことになつたことが認められるから債権者等も此の線に沿つて行動すべきであつたに拘わらず、悪意の認むべきものがないとは言え、他の委員の諒解を得ることなしに単独行動をとつたと言うことは、一応規律統制を紊したものと言い得るし、その結果殊に争議中の統制を重んずる労働組合の面目を多少なりとも傷つけたと言わざるを得ない。……〔しかし〕債権者等は本件委員会に於て前非を自覚して陳謝の意を表して居て将来反覆の虞がなかつたこと、クローズドショップ制の結果除名されると必然的に解雇されて失業の憂目を見ねばならぬに立至ると言うこと等を綜合して一般社会通念に照して観れば到底之を以て反組合性が顕著であつて、組合としては止むを得ないと言う様な場合にのみ為すべき除名の正当な事由とすることは出来ないから、結局本件除名は正当な事由を伴わないものであつて法律上無効である。」（東洋陶器従組除名事件、福岡地小倉支判昭二三・一二・二八労働資料三・一二四。本件は前出【12】の仮処分異議申請事件である。【12】も同旨）。

一方つぎの事案（会計監査であるXが、組合専従者に対する組合資金の仮払に関する経理上の不適正を指摘したことに端を発し、他の会計監査や組合幹部と対立したが、一旦、緊急代議員会において陳謝し組織強化に協力すると誓つておきながら、その後飲食店において再び右問題について代議員会を批議したことが組合の統制を紊し、決議機関を冒瀆するものであるという理由で除名された）につき、裁判所は、選挙闘争および賃金闘争の最中に代議員会の招集を求め、幹部の不信任ないし総辞職の論議にまで紛糾させたXの行為は、闘争中の組合の組織強化に忠実でなく、統制上遺憾な点があつたとしても、それは「陳謝」によつて解決ずみのことであり、「この程度の事実、しかも飲食店における飲酒のうえでの内心の憤懣を発しての論議をもつて恰も正式に代議員会を批判攻撃したかのように評価して、組合の統制を乱したものとすることは、いかにも相当でない」とし、右の行為は除名事由たる統制違反に該当しないと認定している。

【26】「この程度の事実、しかも飲食店における飲酒のうえでの内心の憤懣を発しての論議をもつて恰も正式に代議員会を批判攻撃したかのように評価して、〈組合の統制を乱し〉たものとすることは、いかにも相当でないと考えられる。もとより陳謝しておきながら蔭でその代議員会を批議することはこれを広く解すれば一種の冒瀆行為といえなくもないであろうが、これだけをもつて直ちに〈組合の統制を乱し〉たものとするのは相当でない。かつこの事実の外に、申請人が陳謝以後において積極的に組合に対し故なく反抗し、その統制を乱すような意図をもち、そのような結果を生じたことを認めるに足る証拠はない。仮りに、陳謝の原因となつた申請人の行動、すなわち、いわゆる仮払問題の全体を通じての甲請人の行動が本件除名理由の実質をなしているとしても、そして組合の闘争中の行動である点において統制上遺憾であり、闘争中代議員会の招集を求め幹部の不信任ないし総辞職の論議にまで紛糾させたようなことが闘争中の組合組織の強化に忠実でなかつたとしても、それは〈陳謝〉によつて既に解決ずみのことである。組合自体が自主的に懲戒権を発動することなく円満に解決したのであつて、このこと自体、申請人の仮払問題に関する行動が組合の自立的判断において〈懲戒〉すなわち、〈統制違反〉には値せず、本人の〈陳謝〉で足りるとしたことを物語るものというべきでもある。しかるに組合は一転して申請人を〈除名〉したのである。(中略)選挙闘争、賃金闘争の最中にあり、組合員は一段と団結して組合内部の組織を強化する必要に迫られ組合として総力を結集すべき段階にあつても、そのため除名が政策的に行われ易くなつてはならず、組合員個人の基本的自由や組合員たる地位に基づく諸々の

権利と組合の統制権との調和が破られてはならない。

このようにして考えてくると、本件除名は、懲戒の事由たる〈統制を乱し〉たものに該当する事実が存在しないのに、却つて最も重い懲戒方法である除名をもつて臨んだということに帰し、法律上無効といわざるを得ない。」（住友石炭鉱業弥生炭鉱労組除名事件、札幌地判昭三〇・七・一九労民集六・六・七七一）。

三　言論・宣伝活動

組合員の反組合的行動が、単なる言論ないし宣伝活動である場合には、かなり問題が生ずる。憲法上保障された言論の自由が、組合員であることによりある程度の制約をうけることは当然であるとしても、労働組合が民主的な構成をとる以上、組合の健全な運営にとつて組合員の活潑な発言ないし批判の自由は不可欠の要素であるからである。この意味での言論の自由が保障されるのでなければ、組合の存続・発展はありえないといつても過言ではないであろう。（一）

（一）　沼田教授はこの趣旨をつぎのように述べる。「凡そ、組合の統制というのは、組合員の指導部に対する批判の自由が予想されているからこそ生きた力を発揮し得るものなのである。その批判が文書によつてなされようが、口頭でなされようが批判は組合員の階級的人間としての個有の権利であり、義務なのである。民主主義社会において政治批判、政党批判が自由でなければならないということは自明のことであるが、国家の階級性の故に本質的に制限せられざるを得ないのに対して、組合の場合は、指導は本質的には批判によつてのみ適切さと強靱さとを益してゆくべきものなのである。組合の統制とは、組合員批判により教えられつつ行う組合指導の基礎なのである。だから統制が組合員からの批判によつて乱れるようだつたら、真の組合の統制とはいえないはずである。組合指導部に対する批判は多少はげしい言葉で行われたからといつて統制をみだすものと考えるべきではない。」（沼田「団結権擁護論」二二四頁）。

このような観点からするならば、除名問題の中で最大の除名原因をなしている共産党細胞のビラないし機関紙配布行為も、本質的には組合員の組合に対する批判行為として把えるべきではなかろうか。組合員が組合大会において発言することと、口頭あるいはビラ・機関紙等を通じて日常活動として発言することとの間には本質的な差違は存しない筈である。したがつて一般的に組合員が自己の主張を他の組合員に訴える自由を組合が奪うことは許されないのと同じようにビラ・機関紙等の配布を組合が一般的・包括的に禁止することは許されないと解すべきであろう。

それゆえに「決議をもつて共産党フラク活動を禁止し、制裁規定をもつて組合員に強制することは被申請組合の目的の範囲外の行為であつて、右決議はその余の点について判断する迄もなく当然無効と謂わなければならない」とする前出【4】の判決は、この点に関するかぎりでは正当と評すべきである。

しかし多数の判例は、例えば「組合がその基盤とする工場内に於て組合員がその政党機関紙を配布するは、正に直接組合の統制に従うべき事項」であり、「原告等の行為は組合の決議機関たる代議員会の決定を無視して政党機関紙を配布したものであるから、組合の統制を乱したものと謂わなければならない」(【27】)、或は「組合は個々の組合員が組合を離れて一般大衆を相手として政治活動を行うことを禁止することは出来ないが、組合員の勤務する工場の内部或いは其の附近で細胞機関紙を組合員に頒布する如き行為を制限乃至禁止することは組合が其の団結を維持し、統制を確立する為可能であり、組合員の之に反する行為は許されない」(【28】)等の理由の下に機関紙等の配布行為を予め包括的に禁止しうることを認めている。

【27】「組合規約第三十三条の組合員にして組合の統制を乱す行為ありと認められる場合は所定の手続を経て除名する旨の定は、組合員はたとえその行為が政治活動であつても、それが組合の統制を要しない行為である場合は格別、組合の統制を要する行為である場合に於いてはその行為が組合の統制を乱すときは所定の手続を経て除名せられる趣旨であると解するを相当とするところ、組合がその基盤とする工場内に於いて組合員がその政党機関紙を配布するは、正に直接組合の統制に従うべき事項であると共に、就業規則（乙第二号証の一）に従業員が予め会社の許可なくして工場又はその附属建物に伝単を掲示又は撒布した場合又は之に準ずる著しく不都合な行為をした場合には懲戒解雇する旨の規定あり、就業規則意見書（乙第二号証の二）に依れば就業規則の該規定は組合より異議なく承認せられたところであつて、又労働協約（乙第三号証）に依れば組合は工場と相協力して工場の興隆と従業員の福祉増進を図ることに努むべき旨協約しているところから看れば、間接にも亦組合の統制に従うべき事項であると考えられるから、前段認定の原告等の行為は組合の決議機関たる代議員会の決定を無視して政党機関紙を配布したものであるから、組合の統制を乱したものと謂わなければならない。」（鐘紡西大寺工場労組除名事件、岡山地判昭二四・一〇・三〇労働資料七・三五七）。

【28】「本件除名は組合員が組合内部に於いて政治的活動を行うことを禁止する旨の決議に反して申請人両名が共産党細胞機関紙〈コンベア〉の発行組合員に対する配付等の行動をなしたことを理由とするものであり、右は単に政治的信条の範囲に止まるものではない。又規約第十三条第五号には組合員の政治活動の自由を保証して居るが、規約第十四条第二号は組合員に組合決議を尊重し、統制に服する義務があることを明定して居り組合は個々の組合員が組合を離れて一般大衆を相手として政治活動を行うことを禁止することは出来ないが組合員の勤務する工場の内部或いは其の附近で細胞機関紙を組合員に頒布する如き行為を制限乃至禁止することは組合が其の団結を維持し、統制を確立する為可能であり、組合員の之に反する行為は許されないもの

で、組合の前記決議及び申請人両名の之に反する行動があつたことは疎明十分である。」（前出【7】と同事件）。

【29】　抗告人等は細胞活動として「㈠昭和二五年一月以降細胞機関紙〈コンベーア〉及びその号外を発行し組合から組合員に配布せぬよう注意したのに拘らずこれを組合員に頒布し、㈡且つ右機関紙には組合に関する記事は直接間接を問わず載せないよう注意したのに拘らず、これに反し、組合に関連する記事を掲載し㈢同年一月二五日擅に会社の印刷機を使用し、会社の許可を得ないで（労働協約第四条）右細胞機関紙を印刷し、㈣同年二月二五日組合事務所において右細胞機関紙を印刷し、㈤組合の常任委員会及び職務委員会においてなされた白川鉱業所請負の石炭シローエ事及び積込場の件については各個の意見の発表はさしひかえ、特に文書その他で外部にもらさないようにとの申合せないし決議に反して同月二〇日頃細胞機関紙に掲載してこれを一般に頒布し更に、㈥同年三月二九日外部の者と会合して組合の運動方針並に役員候補者の討議をなし、㈦人民山陽四月上旬号に掲載された四月一日組合年次大会批判〈総同盟幹部の分裂を防ぐ〉なる記事は右細胞として抗告人等の提供した情報に基づくものであり、（中略）

右認定の通り抗告人等は屡々重ねて前記決議に反するのみならず、組合の機関の決定を無視した行為をなしたものであつて組合の統制を紊したのみならず、かようなことを放置するにおいては将来著しく組合の統制を紊す虞があるものと言わなければならない。そうしてそれが細胞活動の故を以て政治活動なりとして組合に対し組合員として右行為を正当化することができないことは前説示により明かである。

従つて抗告人等がかかる統制を紊す行為をなしたことを理由として相手方組合が抗告人等を除名したのは正当といわねばならない。抗告人等は抗告人等が工場内における休憩時間中ないし、工場外において、細胞機関紙を組合員に頒布したことは自由であつて、組合の制限に服すべきものではないと主張するのであるが、前記認定のような抗告人等の行為はその行われた時、場所の如何に拘らず、組合員に対する限り、組合の統制に服すべく、組合の統制を直接紊すものであるからこの主張は採用し得ない。」（前出【8】と同事件）。

しかしながら、右のごとき組合員の批判の自由ないし言論の自由も、それが組合員たる資格においてなされるものである以上、労働組合としての団体行動の枠をふみ外しえないことはいうまでもない。第一にそれはあくまでも、よりよい団体意思の形成に向けらるべきであり、したがつてその内容の点において「事実を歪曲し、徒らに攻撃を目的とするが如く解せられる」場合には批判の範囲を逸脱したものといいうるであろう。

【30】（事実）申請人等は自己の所属する共産党細胞機関紙「烽火」（一一号）に組合の賃上げ案批判記事を掲載配布したが、同掲載文中の「改正案にはスライドということが全然考慮されていないのである。考慮していないという事は賃上を今後やらないということであり、賃金ストップを組合が実施するということに外ならない」および「生活給のインチキ」なる字句が代議員会で問題となり、申請人等を組合の統制を紊し、組合の決議に反し、組合の団結を乱すものとして組合規約により除名。

（判旨）「其掲載事項が批判の範囲を逸脱し、事実を歪曲し、徒らに攻撃を目的とするが如く解せられる以上之に基き除名せらるるも已むをえない。」（豊田自働織機労組除名事件、名古屋地判昭二三・九・二〇労働資料一・二七六）。

【31】「被申請人組合のなした申請人等除名決議は、憲法第二十一条に違反する無効のものであるかを考えるに憲法に於て言論出版の自由が保障されていることは申請人等主張の通りであるが、其の論じたり又は記載したことにつき責任を負うべきものなることは素より当然のことにして既に前段に於て認めたる如く烽火第十一号の記載事実は真実に副わざる虚偽の事実を記載し組合規則に違反した言動に出でたる以上被申請人組合が自主的合法的な手続を経て、其責任を追究し延ては組合規約に基き申請人等を除名処分に附したる以上之を以て憲法に違反したる無効なるものと断定することはできない。」（豊田自働織機労組除名事件、名古屋地判昭二三・九・二〇労働資料一・二七八）。

第二に、日常活動における批判は、組合員の自由に委せられているというべきであるが、一旦、特定の問題について団体意思が形成せられた場合には、組合員は当然にそれに拘束せられる。組合の意思がすでに確定しているにもかかわらず、その意思の完遂を妨げるような行為をなすことは、その意図のいかんを問わず、組合の統制を紊すものといわざるをえないであろう。したがつて例えば、組合が争議行為に訴える意思を確定したとするならば、たとえこれが好ましくなく、あるいは失敗するかも知れないと思つていたとしても、組合員は争議の完遂のために努力すべきであり、これを批判することによつて組合員の動揺ないしは組織の弱体化をきたすべきではない。それに対する批判は他の適当な時期（例えば闘争終了後の自己反省の組合大会等）まで差控えるべきである。

この点については、前出【30】の事件において申請人が「給与改正案は代議員会の決議のみでは未だ確定案に非ず、支部会や総会の承認を経た後始めて確定案となる。従つて確定前に批判の記事を〔細胞機関紙に〕掲載するも組合の統制を紊すものではないから右除名決議は無効である」と主張したのに対し、判決が「賃金改正案は代議員会の決議事項に属するのみならず、従来の慣例よりするも代議員会限りに於て決められていたことが認められるから申請人等の主張は失当」（労働資料一・二七六）としたのは正当である。

さらに組合員の言論・宣伝活動は、その内容、時期等の問題と関連して、その方法においても適切さを欠くときには組合の内部規律違反の問題が生じうるであろう。

組合員が、会社は労働基準法に違反して年少従業員を重労働に服させた旨を記載するビラを組合員に配布した行為が、組合規約にいう「組合の健全なる運営を阻害するが如き言動並びに素行」に該当するとして除名処分に付された事案において、事実の暴露の仕方や、組合にはからなかつたため却つて他の従業員の解雇を招来するような結果をきたしたことから、右の行為は「組合の統制ある行動を乱し、ひいては組合の健全な運営を阻害するおそれがないとは必ずしもいえない」と判断したつぎの判旨は、言論の自由の行使も、その方法の点において内部規律違反の問題となりうることを示した趣旨と解しうる。

【32】「工場の労働基準法違反の事実については、被告組合を通じて経営者側と交渉を為し当該年少工員の配置転換を計り、その解雇を避ける等の手段を講ずるのが妥当であるのに、原告が単独行為により、前示ビラを配布して右違反の事実を公表し、会社側をして当該年少工員八名を速かに解雇するの余儀なきに至らしめたことは、被告組合の健全なる運営を阻害するおそれがあるものと認められるのみならず、原告の配布した甲第四号証のビラの文言は極めて挑発的、煽動的であつて無用に労資の対立を刺激し、尖鋭化させるものであると認められるのであるが、労資間の闘争或は協調について如何なる態度を以て臨むかは、その時々の情勢に応じて労働組合においてこれを決定すべきものであつて、組合員はその決定に従うべきものであるといわねばならないから、原告の右行為は、たとえ被告組合の幹事及び組合員の経営者に対する妥協的な行為を不満としてその反省を求める趣旨で為されたものであるとしても、被告組合の統制を無視したという非難は到底免れないものので、組合の統制ある行動を乱し、ひいては組合の健全な運営を阻害するおそれがないとは必ずしもいえない。従つて前記幹事会に於いて原告の右行為を規約第二十六条及び細則第五条第一号に該当するものと判断し、原告に対し制裁を加える決議を為したのは相当であるといわねばならない。」（前出【16】と同事件。なおこの判決はつぎの控訴審判決においても支持されている）。

【33】「成る程一個人としては甲第四号証のような「会社の労基法違反の事実を暴露する」ビラを配布する

ことは現行憲法並に諸法令の枠内では自由であろう。又会社の労働基準法違反の事実を監督官に申告することは労働者の権利であり、使用者はこの申告を理由として不利益を与えることはできないことは労働基準法第百四条の規定に照らし明かである。然しながら控訴人が純然たる個人の立場をはなれ労働組合員たる地位に立つ限り、その定める労働組合規約が著しく不当のものでない限りこの規約の定めるところに従つて行動をせねばならず、この限度においては個人の有する言論の自由も或程度の制約を受けることは已むを得ないことである。而して本件は会社の労働基準法違反の事実を監督官に申告したのではなくして違反の事実を公に暴露し、しかもその文言は挑発的煽動的であつて無用に労資の対立を刺戟し尖鋭化させるものであつたのであるから被控訴組合が控訴人の本件ビラ配布行為を目して前示規約並に細則の規定に該当するものとして控訴人に対し細則所定の制裁を加えたことは容易に首肯し得るところであつて本件除名処分を個人の言論の自由を侵害する無効のものと断ずることはできない。」(オーエム紡機製作所出雲工場従組除名控訴事件、広島高松江支判昭二六・三・二労民集二・一・九四)。

一方、組合員の批判・言論の自由が以上のごとき意義をもつものであるとするならば、行為者の主観的意思は統制違反に対する価値評価の際に当然に考慮に入れられねばならないであろう。反組合的意図を当初からもつものであれば、そのことだけで組織による制裁をうけても止むをえないが、少くとも主観的には組合員の利益のためと思つて行つた行為に対しては、大巾な情状を認むべきである。もちろん右に述べたごとく、組合員の利益のためと思つて行つた行為であつても、その内容、方法、時期等の点で客観的に組合の統制を紊し、内部規律に違反する場合が生じうる。しかしかかる行為を把えて直ちに反組合的行為であるとして除名処分に付すことは必ずしも当をえたものではあるまい。少くとも第一次的には、除名以外の制裁その他の方法によつて組合内部においてこれを矯正すべきであり、右の者の行為が反覆して行われ、ないしは将来反覆して行われる脅れがあり、その者を組合外に排除しなければ団結を維持する上に支障をきたすという場合にのみ除名処分に訴えるべきであろう。

かかる観点からするならば、共産党細胞のビラ・機関紙等配布行為が組合の統制を紊すものに該当するとして除名処分に付した前記の事件において、多数の裁判例はこれをそのまま有効として容認しているが、その中の事案のいくつかは、いわゆる「行きすぎ」ないしは苛酷な除名に失するというるのではなかろうか。

四　政治活動

組合員の政治活動の自由が決して無制限のものではなく、組合に加入している以上一定の制約をうけることについてはすでに概観したが、さらに組合が特定の政治政策ないし政党支持の立場をとった場合に、これに違反する組合員の行動を「組合の統制違反」となしうるか否かを問題としなければならない。実際問題としては、社会党支持の立場に立つ民同系組合が、共産党員たる組合員のフラク活動を禁止し、あるいは具体的なビラ貼り、機関紙配布等の行為をとらえて、組合の統制を紊すものとして組合を追放した事例が、とくに終戦直後の除名問題において圧倒的多数を占めているからである。

いうまでもなく労働組合は「労働条件の維持改善その他経済的地位の向上を図ることを主たる目的として組織」された団体(労組法二)であり、「主として政治運動又は社会運動を目的とするもの」ではない(労組法二4)。しかしまた、労働組合は、全面的に政治的行動を禁ぜられているわけではなく、労組法二条の意味するところは、労働組合が主として政治的運動を目的とする組織ではないというだけのことである。とくに一国の社会経済機構が高度に組織化され、政治が国民の生活に直接かつ深く侵透している現在においては、政治の問題をぬきにしては労働者の経済的地位の向上は考えられないといつても過言ではない。このような意味から、労働組合が特定の政治政策を支持し、あるいは政党を支持することも敢て異とするには足りないであろう。

しかしながらあくまでも労働組合は、政党とは異り、基本的には労働者の経済的地位の向上を目的とし、かかる基礎の上に成立している団体である。それゆえに、労働組合は、右の目的に奉仕する限度においてのみ政治活動に参加し、あるいは特定の政党ないし政治政策を支持することが認められる。したがつて組合が特定の政党ないし政治政策支持の立場をとつた場合には、それが具体的に労働者の経済的地位の向上に役立ちうる限度においてのみ組合員を拘束する。例えば仮にある組合が、最低賃金法制定促進に関する決議を行い、これを公約としている政党を支持する立場をとつた場合には、組合員は少くとも組合内においてこれに反対する言動を行い、あるいは反対党の立場に立つ行動をすることは許されないであろう。しかし、組合は、組合の支持しない政党の活動を組合員が行うことを一般的に禁止することはできないし、あるいは組合の支持する政党と異る闘争方式をとる政党を組合員が支持することを一般的包括的に禁止することもできない。右に述べた組合の目的を実現するのに不可欠の限度においてのみこれを制限ないし禁止しうると解すべきである。

このような見地からするならば、「組合員に対して一定の政治的態度を求むる決議をなすためには、これが具体的場合に組合員の地位向上のためとくに必要である事情がなければならない。（中略）従つて決議をもつて共産党フラク活動を禁止し、制裁規定をもつて組合員に強制することは被申請組合の目的の範囲外の行為であつて右決議はその余の争点に付いて判断する迄もなく当然無効と謂わなければならない」（前出【4】）とする判旨は正当と評すべく、これに反し、つぎの判旨に対しては疑問をいだかざるをえない。

【34】「組合がかかる機関紙の工場内における配布を承認するや否やはその内容のみを標準としてこれを決すべきものではなく、組合員の属する他の政党の政治活動との関係その他諸種の事情を考慮してこれを決すべきものであろうことは組合の性質上蓋し当然であるから、その配布した機関紙の内容が組合に有益無害であるから組合の統制攪乱とはならないと謂うを得ない。」（前出【27】と同事件）。

【35】（事実）申請人Xは当時争議中の愛知時計電気株式会社労組の闘争を応援するため、同会社工場前の電柱に「自由か、奴れいか、団結だ頑張れ」と書いた日本共産党名交高辻細胞の署名入りのビラを貼付したが、組合は、右ビラの日本共産党名交高辻細胞という字句は、被申請人組合高辻支部全体を意味するから、組合の機関にはからず勝手に支部の名義を用いたことは、組合機関を無視するものであり、組合の名誉をき損すること甚だしいとして除名。同じく申請人Yはその職場内で「信鈴」なる日本共産党名交細胞発行の機関紙を配布したが、かように特定政党の機関紙を用いて活動することは組合員の本領ではなく、組合の機関を通じて正当に発言し討議するのが組合員の義務であるという理由から、組合は、右の行為が組合機関を無視し、組合の統制を乱すものであるとして除名。申請人等は、個人の自由に委ねられた政治的社会的活動の範囲内の行為であると主張。

（判旨）「申請人等が或る特定の政党を支持し、その党のため政治的活動をなす自由を有することは、まことに申請人等主張の通りである。これは憲法も保障し、被申請人組合と名古屋市との間に締結された労働協約第五条にもこれを明記している。然しながら一方申請人等は被申請人組合の組合員である以上、その組合員としての行動について組合の統制に服さねばならぬことも勿論である。けだし、労働組合も一個の団体である以上その構成員が団体の規律と統制に従うべきことは絶対に必要な要請だからである。故に申請人等が被申請人組合の組合員として、その組合員たる資格において政治的活動を為すには、組合の意志に違背してはならぬことは明かである。

ところで前述のように、(一)申請人等が被申請人組合の承認を得ることなく、妄りに被申請人組合(高辻支部)の名義を用いて(正確に言えば名義を用いたと称し得ないにしても、少くとも第三者から見て被申請人組合が行為主体なりと誤認さるるが如き恐れある文字を用いて)外部に対して政治的活動をなし、よつて世人に対しあたかも被申請人組合(高辻支部)が特定の政党を支持後援し居るが如き印象を与えたこと、(二)申請人等がその職場において他の従業員に対し組合機関に無断にて政治的活動をなし、そのため組合内の作業秩序を乱したこと、(三)申請人等がこれ等の行為のため組合の監督機関より戒告を受けた際、適式の手続によつて異議申立をすることなく、妄りに他の政党の圧力をかりてその処分の撤回を迫つたこと、等はいずれも申請人等がその組合員として許された妥当な行動範囲を逸脱したものと言わなければならぬ。従つて被申請人組合が規約所定の役員会にはかり、その総意をもつて、申請人等の行為が組合の統制を乱し、又は組合の名誉をき損するものと判定し、その除名の決議をなしたことは蓋し当然の処置と称し得よう。」(前出【15】と同事件)。

さらに労働組合出身の町議会議員Xが、町議会における鉱産税率決定の議決に際し、所属組合の政治局決定に違反して投票したことを理由に除名されたつぎの事案において、裁判所は、組合は組合員たる町議会議員の議会活動に対し統制を加えうること、組合規約に基いて政治局が設置され、政治局規定が定められているところから、政治局決定に違反することは、政治局規定違反＝組合規約違反といいうるし、そのことを理由に組合から制裁をうけてもやむをえないと認定しつつも、本件においてはXの行為は自己の政治的信条ないし信念に基くものであり、反組合的な感情ないし意図に基くものでない等の情状から本件除名は社会通念による限界を逸脱するものとしているが、結論はともかく、政治局の決定がすべて組合員を拘束するという理論的な前提をとつていることは妥当ではない。本件の場合には町議会における鉱産税率の決定とそれが組合員に与える直接間接の影響との関連性を明らかにした上で、右に関する組合の政治局の決定が組合員たる町会議員Xを拘束することを明らかにすべきであつたと考える。

【36】「原告は、憲法第一五条第二項および旧町村制第五四条第一項を根拠として、町会議員とても公務員であつて、一部の奉仕者ではなく全体の奉仕者であるから、たとえ、政治局といえども、町議会議員たる原告の町議会における行動を制約し拘束することはできないと主張する。

勿論、憲法第一五条第二項は〈すべて公務員は全体の奉仕者であつて一部の奉仕者ではない〉と規定しているけれども、その意とするところは、一般公務員に対し、常に国民全体の利益を念頭において行動すべきであるという心構えを示したにとどまり、被告も主張するように、町議会議員たる原告のごとき、いわゆる政治的職員たる公務員が、その所属する政党、階級、団体などの政策や主張に従つて行動することをも禁ずる趣旨ではないと解する。なんとなれば、この場合、その政治的職員は、それぞれの政策や主張を通じて全体に奉仕しようとしているとみるべきであるからである。また旧町村制第五四条第一項は〈議員は選挙人の指示又は委嘱を受くべからず〉と規定しているけれども、それは、同条第二項の〈議員は会議中無礼の語を用い又は他人の身上に渉り言論することを得ず〉との条項と相まつて、もつぱら議員の自由意思を尊重し、かつ、品位を保持するための、いわば道徳的規定であつて他意はないと解する。

しかして自由を生命とする議会活動においても、自ら求めて拘束を受けること、すなわち、自己拘束を受けることは許されうるものと解しうるところ、本件においては、政治局の確認事項として〈政治局の決定は全員一致して同一行動をもつて議会に反映せしめる〉旨、原告自らも参加決定、確認されおることは、当事者間に争いがないから、政治局は、その局員である原告の町議員活動を制約し拘束する決定をなしうるものといわねばならない。したがつてまた、後に認定するように、組合規約第四七条に基づく政治局規定第三条第一号には〈政治局員は政治局の決定を把握し全員結束して議会その他に反映する〉とあり、かつ原告ら政治局員は、組合に対し〈組合規約に基く政治局の一員として行動する〉旨確約しているから、原告のような組合員たる政治局員が、政治局決定に違反したときは、組合から政治局決定違反を理由に制裁を科せられてもやむをえないところといわねばならない。（中略）

原告は、問題の政治局決定なるものは、組合決議ではないし、勿論組合規約でもない、また、政治局規定に〈政治局員は政治局の決定を把握し全員結束して議会その他に反映する〉とあるけれども、政治局規定なるものは組合規約ではないから、これに違反したからとて組合規約違反とはいい難く、したがつて、政治局決定違反は組合規約第六三条第一号の制裁事由とはならないと主張する。

しかしながら、成立に争いのない乙第一号証（組合規約）によると、組合規約第四六条に〈この組合に政治局を設置する〉、第四七条に〈政治局の規定は別に定める〉と規定されており、さらに、成立に争いのない乙第三号証（政治局規定）によると、この組合規約第四七条の規定に基き、政治局規定が定められており、その第三条第一号をみると〈政治局員は政治局の決定を把握し全員結束して議会その他に反映する〉と規定されているから、被告も主張するように、政治局決定に違反することは政治局規定違反、すなわち、組合規約違反といいうる。（中略）

〔しかし〕以上の情状をかれこれ考え合わすと……本件においては、原告を除名しなければ被告組合の団結を維持することができないものとは到底認め難く、本除名は社会通念による限界を逸脱しており、除名権の濫用に基づくもので無効であるといわなければならない。」（前出【22】と同事件）。

組合員の政治活動を理由とする除名に関しては、さらにメーデーに際し、組合員が組合の定めたメーデー参加要項に違背して所定の不参加理由書を提出することなく、組合のメーデー行事に参加せず、かえつて自己の所属政党主宰の行事に参加したことが組合規約所定の懲罰事由たる「組合の統制を乱した行為」に該当するか否かが争われた事件が存する。裁判所は統制違反を認めつつも、本件の場合に懲罰として除名処分を選んだことは組合の権利の濫用であると判示した。

【37】「メーデーの行事が労働組合にとつては年一回の重大な行事であることからすれば、組合員は先ず組合の行事に参加すべきものであり、原告等が不参加理由書を提出せず組合の行事から遊離して政党の行事に参加したことは事の軽重は兎も角として所属組合の統制を紊したものと認めざるを得ない。」しかし本件に於いては「㈠、前記参加要領には不参加理由書を提出しない不参加者に関する処置に付き別に規定せず、証人鶴井の証言によれば参加不参加は組合員の自由意思に任せ統制を加えぬ趣旨であつたことが窺われ、又一般組合員も参加及び不参加理由書提出に付き左程厳重に解して居なかつたことが……認められること。㈡、組合規約第二十四条によれば組合の統制を紊した行為に対する懲戒には除名権利停止及び損害賠償の三者があり原告等の本件行為は組合内部にあつて積極的に秩序を攪乱し結束を破壊するものではなく、他の不参加者と異なり政党に参加したとはいえ寧ろ消極的な行為であるに対し、除名処分は組合員にとつては組合から追放される最大の重要事であり、更に本件の如く使用者との間にユニオン・ショップ制労働協約を採用している場合は除名即解雇であり、組合員の生活を根底から動揺させるものであること、を綜合考按すると、除名処分は原告等の行為

に対する懲罰としては社会通念に反する酷な処分であつて権利濫用に属し無効のものと謂うべきである。」（前出【20】と同事件）。

五　その他

これまでに概観してきた判例の外に、除名事由の正当性を争うものとしては、つぎの【38】【39】【40】の事件をあげることができる。

【38】は組合員のなした会社幹部に対する告発行為が組合規約で除名事由とされている「組合精神に反し又は決議に違反したる行為」および「組合の統制を紊した行為」に該当するか否かを争うもので あり、【39】は衝立で間仕切がなされ、その向側で会社役員らが執務している会社事務所内応接室に組合会計役員を呼んで組合会計上の不正事実、闘争準備金等について質問した組合員の行為が組合規約所定の除名事由「組合規約に背き、組合の統制をみだし、その名誉をきずつけ損害を与えた等」に該当するか否かを争うものであり、さらに【40】は組合員が組合の反対決議を無視して使用者主催の反共的政治教育を主眼とする従業員特別講習会に参加することが、組合規約所定の懲罰事由たる「組合の統制を紊した場合」に該当するか否かを争うものである。

前二者の事案においては、裁判所はいずれも除名事由に該当せず、したがつて右事由に基く組合員の除名は無効であると判断し、後者の事案においては、統制違反に該当するが、右の事実を原因とする除名は、組合の自治の限界を逸脱するものとして無効と判示している。

【40】をも含めて組合の自治の限界を逸脱するものとして除名を無効とした判例はこれまでに概観し

てきたごとくいくつか存するが、いずれも組合の内部自治との関連において微妙な問題を提示しているように思われる。

【38】「会社の業務に関し非行があると信ずるに相当の理由があればそれが取締役たると一般従業員たるとを問わず、これを是正し排撃することは、健全な経営、経理の明朗化のために当然の事柄であつて、経営の一翼を担う労働組合としても又なすべきことである。申請人四名が告発したのも、結局は被申請人会社幹部の弱腰に原因するのであつて充分了解されるところであり、この場合被申請人会社の信用に係わるとして〈臭い物には蓋〉式にウヤムヤにしてしまうことは、決して抜本的な策ではない。申請人四名にしてみれば、被申請人会社の健全な発展のために、恐らく岩堀社長の圧力と戦わねばならないであろうとの一大決意の下に告発したものと察せられ、申請人等が一部重役と結托して会社乗取りのためになしたとは認められない。殊に前記三ヵ条の実行は一月二十五日組合委員会に於いて決議され（組合規約第十条によれば委員会の決議は場合により組合の最高決議となる位である）たので、申請人府川は組合書記として、書面により組合決議として三ヵ条の実行を会社側に要求したことも道理である。

してみれば申請人四名は組合規約第三十八条の除名理由たる〈組合精神に反し又は決議に違反したる行為ありたる者〉〈組合の統制を紊したる場合〉に該当する何等の事項もないのであるから前記除名は無効と言わねばならない。従つて又除名の有効であることを前提とする労働協約のユニオン・ショップ条項に基づく解雇も無効である。」（平塚工業懲戒解雇事件、横浜地小田原支決昭二七・三・二〇労民集三・一・三〇）。

【39】（事実）　申請人は、衝立で間仕切りをした向側に会社役員らが執務している会社事務所内応接室に組合会計役員を呼び、組合会計上の不正事実、闘争準備金等について質問した。組合は右の行為が会社に組合財政上の秘密を暴露し、かつ組合に不正があつたのではないかという印象を与えた点で組合規約所定の除名事由に該当するとして除名。

（判旨）「一般に組合の統制をみだすとは正当な組合の指令に従わず、組合大会の決議を遵守せず、或いは当該労働組合の綱領に反する行為に出でた場合を指称するものであつて、被申請人組合の組合規約に定められた趣旨も同様に解するのが相当であるところ組合会計に不審があつた場合直接組合会計に問い訊すことが組合において特に禁ぜられていたこと、または右が組合の指令ないしは組合綱領に反するものであることの疎明はないのみならず、申請人らがまず帳簿の閲覧を求めた上組合執行部の説明をきき、しかるのち質問を開始すべきであるのにこの手続を履践しなかつたからといつて非難すべきものでないこと前記のとおりであるからこの点において申請人らの右行為が除名事由に該当するものとはいえない。」（前出【14】と同事件）。

【40】「申請人等が組合の禁止決議を無視して本件講習会に参加したことが組合の統制を紊したものと言い得るかどうかにつき判断する。そして、その判断をするについては、先ず、組合の禁止決議が有効かどうかを考えて見なければならない。そこで問題となるのはこの講習会の内容であるが、それは一応反共的政治教育と目すべきものであつて、しかも反組合的なものではない。従つて斯様な講習会を会社が開催することも又組合員である申請人等がこれを受講することも一応は自由と言わねばならない。しかしながら講習会の内容自体には反組合的なものがないとしても、その開催が組合の団結に影響を及ぼすおそれのある方法をもつてなされた場合には、組合は組合員がその講習会に参加することを禁止することが出来るものと考える。この見地に立つて本件講習会の開催の方法を見ると、それは江の島という遠隔かつ景勝の地を選び極く少数の従業員を限つて行われ、しかも会社の業務命令により出張したものとして扱われ、受講者の旅費や滞在費等は総て会社において負担しその間の賃金も保障されている。自費をもつて江の島見物をすることは多く望み得ないような従業員に対し以上のような方法で受講させることはその者に経済的恩恵を与えるものと認めざるを得ないのであつて、かくては、反証のない限り、受講者と他の組合員との間に嫉視反目を生じ延いては組合を紊すおそれあるものと認めざるを得ない。尤も会社は本件講習会の開催に先だち受講者の人選について組合の意見を聞こうとした

がその協力を得られなかつた事情が窺われるし、又会社が積極的に組合の分裂や御用組合化を企図するため本件講習会を利用する下心があつたものとは認め難いが、これだけの事情だけでは前記の認定を覆すには足りない。

斯様に見て来ると申請人等が組合機関の決定を無視して前記講習会に参加したことは組合規約所定の処罰事由たる〈組合の統制を紊したもの〉に該当すると言わなければならない。」（中略）

しかし「本件につき特に左の諸事情を参酌勘案すると本件除名決議は酷に失し妥当性を欠くものと言わねばならぬ。

（イ）　会社のこの種講習会は今回迄に既に三度道内で開催されて居りその都度組合員たる従業員が五乃至十数名参加している。然るに組合はこれまで不参加の決議をしたり受講者の処罰を問題にしたことはなかつた。

（ロ）　今回の講習会に於いても砂川芦別両鉱業所に於いては何等問題なく会社組合間了解の許に各組合員が参加している。

（ハ）　申請人等の出発に先立ち組合幹部は申請人等が組合と関係なく個人としての立場で各自の意思に従い受講することを組合が黙認するかの如き曖昧な態度を示した。

（ニ）　右のような事情により申請人等は本件講習会に参加することが処罰に値する程の統制違反とは考えず軽い気持で参加した。

（ホ）　申請人等には嘗て反組合的な言動をなした事実も認められず今回も帰山後陳謝の意を表している。

（ヘ）　申請人等の除名が討議された組合大会において意見を述べた某が申請人等に〈組合を除名されても平気だ〉というような甚だしい反組合的言動があつた〔旨〕事実に反し誇張して報告したため一般組合員の感情を害したと認められる節がある。

右のような諸事情に組合がこれ迄組合員を除名した二、三の先例をも比較し、又会社と組合員間にユニオン・ショップ協定が締結せられおる点等を彼是勘案すると仮令申請人等に組合の統制を紊した責任があるとしても警告・譴責、山内公示等の処罰を考慮することなく最も重い除名処分に附したのは著しく過酷に失するものと言うべく組合自治の限界を逸脱した無効な処分と解さざるを得ない。」(三井美唄炭鉱労組除名事件、札幌地岩見沢支決昭二七・七・二九労民集三・四・三六〇)。

五　除名手続の正当性

除名は、組合員としての資格を喪失せしめるばかりでなく、ユニオン・ショップ協定が存在する場合には同時に従業員たる地位をも剝奪する重大な制裁であり、組合員の生存権にもかかわる問題であるから、組合員の権利保護の建前上、除名は、慎重な手続にしたがつてなされることを要する。一方、除名は、その者を組合から排除しなければ組合の統制ないしは団結を維持し難いという多数の組合員の規範意識に支えられているものであるから、かかる集団意思が十分に形成され、かつ表明される民主的な手続によることが不可欠の要件として要請されるのである。

除名事由に対すると同じく除名方法についても労組法その他にはなんらの規定もなく、組合の自治に任されている。したがつて除名の方法は組合が自主的にこれを定めうる。除名手続について組合規約に明示の規定が存する場合には、必ずこれに従わねばならないが、組合規約に明文の規定を欠くときには、除名についての総意を十分に把握しうる手続にもとづいて除名が行われることが必要である。

かかる原則を判例はつぎのように述べる。

【41】「労働組合員の除名と言う如き、組合員の死命を制する重大事項を決議するに際しては、其の決議方法の如何は、単なる技術的な問題に終始するに非ずして、其の手続を遵守する事が其の決議の結果の公正を確保する所以であるから、既に組合規約中に除名の要件として定められた議事規定の存する以上、必ず之を遵守すべく、又議事規定に直接の明文を欠く点に付ても条理に基づき、いやしくも被除名者の権利を不当に侵害せざるよう之を解釈し其手続を以て決議を為すべく、若し之に違反したる時は其の決議は無効であると言わねばならぬ。」（八幡製鉄労組除名事件、福岡地小倉支判昭二八・六・四労民集四・三・五）。

一　決定機関

組合員に対する制裁は、なによりも団結強化のためという組合員の規範意識に支えられているものであるから、かかる組合の総意が明確化される手続にしたがつて行われなければならない。それゆえに除名処分は、第一に組合の総意が十分に形成せられる機関において決定せられることが必要である。そのためには、全組合員の意思が直接に反映する組合大会の決議によつて除名を決定することが一番望ましいわけであるが、組合大会における多数決によつて除名処分を代議員会、執行委員会、賞罰委員会等に一任することは差支えない。これと同じ論理から、組合規約により組合員の除名を右のごとき機関に予め一任しておくことも可能である。

【42】「除名が執行委員会の権限に属すると言うことは前示規約第三十一条の規定に依り明かであるけれども原告の主張は更に遡つて斯かる規定の効力を争うものでもある。成る程除名は重要な事項である。従つて之れは総会の決議に依るのが相当であると言うことは多く説明を要しないけれども、それかと言つて斯様な規定

を無効とする理由は認められない。」（前出【12】と同事件）。

ただし技術的に可能なかぎりで全組合員の意思を表明しうる機関に除名決定の権限を与えることが妥当であり、執行委員会、賞罰委員会等にこれを一任する場合でも終局的には組合大会で決定する等の配慮が望ましい。

組合規約に除名決定機関についての明示の規定が存する場合には、当然にこれに従わなければならず、たとえ臨時大会の決議によつても、規約に定めるところと異る機関に制裁権限を一任することは許されない。

【43】「一般的には組合大会が、組合員に対する制裁を組合執行委員会に一任することは、組合規約において何等制裁の議決方法を規定していない場合とか、組合大会において議決すべきものと定めてはいるが、なお執行委員会に一任することができる旨の規定の存する場合ならば、その当否は別としても或は許されるであろうが、組合規約に大会においてこれを議決すべき旨の規定があり、且つユニオン・ショップ制のもとにある被告組合にあつては許されるべきではない。」（秋北乗合自動車労組除名事件、秋田地大館支判昭二八・一二・二四労民集四・六・四九八）。

これに反し組合規約に規定を欠くときは、団体の最高機関である総会に決定権を認むべきである。(一)

(一)　以上のごとき判例の態度に対し吾妻教授は、除名手続についての規定を欠く場合には「大会の議決を条件として之を認むべきであり、また手続規定ある場合にも、大会決議を要件とすべきであり、之に反する規定（例えば執行委員会の議決による除名を認めるもの）は、その効力を認むべきでない。反対の趣旨の判決があるが不当である」（前掲書一二四頁）と述べられ、清水教授も「要するに除名を決定するについて、組合員の多数の賛成があつたとみられる方法によることが必要であり、執行委員の選任が全組合員の直接無記名投票によることを要求している労組法第五条五号および規約改正に関する同条九号などの趣旨からみても、除名の如き重大な懲罰は、組合員の直接に表明された過半数の賛成を要するものと解すべきではあるまいか。しかし、総会に提出すべき案を委員会で決定することは差支えなく、また委員会で除名を決定した場合に、第二審として組合総会に提訴する道が設けられているならば、これを認めてもよいだろう。とにかく、最終決定権が組合総会にあるべきだということになる。」(前掲判批) と述べておられる。

二　弁明権

除名の対象となつた組合員に対しては、除名が決定される前に、除名の事由を予め通知し、除名が決定される会合に召喚し、防禦のために十分な機会を与えることを要する。組合規約にはかかる手続を規定しておくべきであり、かような規定が存しない場合でも、かかる手続を経た後に除名を行わなければならない。けだし、何人もそれが正当化されるのでなければ制裁をうけるいわれはないし、また同時に本人に弁明の機会を十分に与え、これについての議論がつくされることが集団意思の形成に不可欠の要素であるからである。

しかし右のごとき弁明権は、除名決定機関における審議に際して行使されれば足りるのであつて、それ以前の手続の各段階のすべてにおいて認めなければならないという趣旨のものではない。

【44】「組合規約第四八条、第四四条、第四五条によれば組合は組合員に組合統制を紊す様な行為があつた場合に、賞罰委員会を設け、賞罰委員会は事実調査の結果を職場委員会に報告し、職場委員会はこれを審議決定するのであるが、課せらるべき制裁が除名と権利停止の場合には総会の議を経て制裁処分を決定することが定められており、又第一三条第四号において組合員は制裁処分に対して弁明弁護する権利を有することが認め

られておる。」右「弁明、弁護の権利は除名決定機関である総会の議事以前の手続の各段階の総てにおいて当該組合員に弁明させることを要求しているものとまでは解せられないのであり、疎乙第四号証によれば賞罰委員会は抗告人畝尾を喚問せず、従つて同人は賞罰委員会において弁明の機会がなかつたのであるけれども、本件除名の原因たる事実は抗告人等が、共産党細胞として組合の統制を紊すべき種々の活動をしたことであつて、抗告人畝尾にのみ関する特別の事由もなく、抗告人橋本をはじめ他の細胞（三好正一、三谷慈心等）を喚問し、その弁明を聴取することによつて抗告人畝尾に関する事実も調査が可能であることを認めたによるものであること、疎第六号証によれば職場委員会は抗告人等を喚問しないで原審決定がなされていること、然しながら疎乙第七号証によれば抗告人畝尾は同人等を除名する総会においてはこれに出席し、弁明の機会が与えられ、抗告人橋本等と共に十分に弁明しておることが疎明せられるからこの点に除名手続に違法があるものとはなし得ない。」（前出【8】と同事件）。

【45】　「原告除名を答申することを決定した第百五回代議員会において原告の出席を求めず弁解の機会を与えなかつた点等において稍々妥当を欠く憾がないでもないが、結局は最終決定機関である大会には原告の出席を求めて弁明の機会を与えているのであり、又それが最後に与えられただけで不当だとの点についても最終においてしかその機会を与えられなかつたと言うのなら格別、前記乙第二十一号証の大会議事録によれば当初から原告の発言を許さなかつたという訳ではなく、むしろその討議の間に何等原告の発言がなかつた為最後になつて久原某から原告の意思を聞く必要ありとの発言があつたためここに原告が弁明する運びになつたものであることが認められる。以上被告組合の原告除名はその理由においても又手続においても正当である。」（前出【24】と同事件）

またつぎの判旨は、総会以前の賞罰委員会の段階においてであるが、グループとして行つた行動についての責任を問う場合には、特定人に弁明の機会が与えられていなくとも他のものにより調査が可能であれば不当ではないと判示している。本件のごとく実情調査を任とする賞罰委員会への喚問に関するかぎりでは、判旨は正当というべきであるが、終局的な判断を下す総会においては、たとえグループ除名の場合でも弁明権を特定人から奪うことは許されないと解すべきである。

【46】「申請人畝尾が賞罰委員会に喚問せられず、従つて出席弁明の機会がなかつたことは認められるが、本件除名は申請人等がグループとして種々なした行動に付いて責任を問うて居るものであり、申請人畝尾に関する特別の理由もないので申請人橋本等に対する調査により、申請人畝尾に関する事実も調査が可能であるとみられ、又規約第十三条第四号に制裁処分に対し組合員に弁明弁護する権利が保証されて居るが同規定は除名決定機関である総会の議事以前の手続の各段階の総てに於いて当該組合員に釈明させることを要求して居ると迄は認められない。」(前出【7】と同事件)。

しかし、組合が弁明の機会を提供しているにもかかわらず、この権利を行使しなかつた場合、ないしは、十分に連絡をとつているにもかかわらず、会合に欠席することによつてみずから弁明の権利を放棄している場合には、そのまま除名が決定されてもやむをえないであろう。つぎの判例はかかる当然のことを確認したものである。

【47】（事実）申請人は、「除名は本人出席の上大会の三分の二以上の票決によつて為される」旨の組合規約があるにも拘わらず、本件除名処分は本人欠席のまま為されたものであるから無効であると争う。

（判旨）「除名処分の為された八月四日の組合大会に於いては、梅田外四名に対し右大会に出席するように充分の連絡をとつたのであるが、右五名は既に脱退の届出をしたので出席の必要はないとして、故らに出席しなかつたことが認められる。除名処分は処分を受ける本人にとつて重大な処罰であるから特に本人出席の上で三分の二以上の票決を必要としたのであるが、本件のように故らに出席を拒むような者は、本人自ら釈明の機会と表決の権利を放棄したものと見るべきであるから、このような場合には本人の出席は除名処分が有効に成立する為の要件ではないと見るのが至当である。従つて本件除名処分は有効に為されたものといわなくてはならない。」（三石耐火煉瓦争議事件、大分地臼杵支判昭二九・五・二五労民集五・六・六四五）。

なお傍聴人の発言に関してつぎのような判例がある。

【48】　組合規約によれば「執行委員会に於ける傍聴の許否は議長が之を決定し得ることになつているから、傍聴を許したことについては何等非議すべきことはなく、傍聴人に発言を許すか否かについては規約上何等の規定がない。惟うに傍聴人に発言を許し決議事項について意見を陳べさせると言うことは、その意見が議決権者の自由意思に影響すると言う様な弊害のあることも考えられるが、之れは議決権者が自主性を堅持し且良識を持つているならば広く意見を徴して公正な判断の資に供すると言うことになり、敢えて之を違法とするには足らないものと解する。」（前出【12】と同事件）。

三　決議の方法

（一）　多数決　除名の決定は組合員の総意ないしは支配的な規範意識に支えられていることを要する。したがつて、例えば組合大会における除名決議の定数を組合員数の三分の一と定める規約は、団体法理を無視するものとして無効といわねばならない。

しかし除名決議に、民法上の組合におけるがごとく必ず全会一致が要求されると解することはできない。民法上の組合と労働組合とはその目的を異にし、よつて立つ原理を異にしているのであるから、一様に論ずることはできず、結局、労働組合は、その本質上多数者の意思のあるところを正当とする多数決原理によつていると解せられるからである。したがつて除名を決議するには、過半数から全会一致までの間における自主的な多数決の取りきめによつて行うべきである。

【49】「民法組合の規定は労働組合に適用乃至準用されても宜さそうに思われるけれども、労働組合と民法の組合とはその目的が異り、民法の組合は営利組合であるが労働組合は左様ではないし、前者は個人主義に立脚したものであり、後者は団体主義に基礎を置くものであつて其の間には到底一様に律することの出来ないものがある。民法第六百八十条の除名は他の組合員の一致を要すると言う規定の如きはその一例である。民法は個人主義的であり、その組合規定の如きも往々大規模のものがありうるとしても大体に於いて小規模な集団を目標にしたものであるから、全員一致と言うことも比較的容易に行われ得るのであるが、団体法の場合は主として相当大規模な集団を目標とし、従て全員一致と言うことは得て望み難い。それ故に団体法の領域に於いては全員一致を要するのはその団体を作るときの原始契約のみであり、他はすべて多数決に依るとするのが団体法理として認められるところである。然らばその多数決は如何なる定足数に依るべきであるか、多数決は過半数に依るのが最低のものである。同数以下では多数決は成立しない。正確に言えば同数では可否共に成立せず、可が否よりも一票でも少数なれば可は成立せず、反対に否が成立する。そして棄権者は結果に賛成したものとして見られるのである。斯様に多数決は過半数から全員一致迄の間に於いて成立する。そして決議事項の重要さに応じその度の高いもの程全員一致に近い多数決に依るのが原則であると言う説もあるけれども、それは政策上の問題として大いに傾聴に値するものであることは認め得るとしても、動かすことの出来ない原理であると言うことは之を認め難い。一票多くとも多数は多数でありそれに依てその団体の総意と称せらるる意思は決定するのである。過半数から全員一致迄の多数決は因て決定した団体総意を色彩的に見た場合の濃淡の差に過ぎないのであつて、質の相違ではなく只重要度の高い事項についてはその高度に従て全員一致に近い多数決に依るのが相当であると言うに止まる。然るに民法、商法等比較的古い立法例によれば重要事項と見られる

或る種の事項については四分の三以上の多数決が要求され、新立法である労働組合法第十四条は解散について同様な事を要求している。是等の規定から帰納すれば重要事項と見るについては疑を容れないところの除名についても成文規定はなくとも当然四分の三以上の多数決が要求されるのではないかと言うことが考えられる。しかし労働組合法が解散の場合にのみ規定したに拘らず除名の場合に何故規定しなかつたか、又労働組合法より遅れた立法ではあるけれども各種協同組合法が除名については之を重要事項として特別の定足数に依る決議を要求して居り、労働組合法はその前後に接着して一部改正が行われたに拘らず何故前示新立法に追随して同様な規定を加えなかつたかである。惟うに労働組合の設立存続は勿論その運営は組合の自主乃至自治に委し、或る点例えば設立の如きは自主的であることを要求さえする建前を採つていることが労働組合法、労働関係調整法等の規定から明かに観取されると言うところから見れば、除名を敢えて重要事項でないとするものではないが、去りとて解散に比する程でもなく寧ろ組合の自治に委するのが相当であると見たからであると解される。斯様な見方は労働組合の現状から見れば聊か買いかぶつた観がないでもないが、それは決して不当ではない。労働組合法は在るべき組合を目安に置いたものであるからであつて、組合の良識と自重とが要請される所以である。以上のことから三分の二以上或は四分の三以上多数決でなければならぬとも言い得ない。このことは各種協同組合法その他の新立法の規定を考慮に入れた場合も同様に結論し得るところである。」(前出【12】と同事件)。

【50】「組合が制裁を決定するには多数者の意思のあるところを正当とする多数決制度によつていること等に深く考慮を致すならば……」(前出【18】と同事件)。

(二)　採決の方法　除名の可否についての集団意思を自主的・民主的に形成するためには、無記名投票によることが一番望ましい。なんとなれば、無記名投票は、各組合員の自由な意思決定を最もよく確保しうるからである。しかし、要は、民主的に形成された多数者の意思を適切に把握することが問題なのであるから、これを確認するに足りる適当な方法であれば、無記名投票によらず、例えば挙手、賛成者の起立等の採決方法をとることも許容されると解してよいであろう。ただし採決の方法について組合規約に定めがある場合には、当然これに拘束される。

したがつて、組合員の除名に関する組合大会の決議は、出席組合員の無記名投票により決定する旨の明示の組合規約が存するにもかかわらず、挙手の方法で除名決議を行つた事案において除名を無効としたつぎの判旨は正当である。

【51】「労働組合は、自主的団体であるから、その自主権に基づいて組合規約を制定する機能を有し、組合規約は自主法規として組合及び組合員を拘束する効力を有する。そして組合規約において組合大会の決議方法を定めている場合、この方法に違反する決議は、原則として無効と解するのが相当である。前認定の事実に徴すれば、同申請人等を除名する旨の組合大会の決議は、組合規約第六十一条の規定に違反してなされたものであるが、決議が無記名投票によりなされるか、挙手によりなされるかは決議権を行使する者の意思の表明に重大な影響を及ぼすものであるから、かかる規約違反の決議は、その瑕疵が重大であつて、無効と解する外ない。」(国際興業懲戒解雇事件、東京地決昭三一・八・二二労民集七・四・六六〇)。

【52】「凡そ採決方法を無記名投票によらしむる趣旨とするところは、採決をなすに際し各投票者個人の自由なる意思決定を確保せんとするにあると解せられる。特に労働組合員の除名という如き公然たる仲間外れ、然もショップ制下においては従業員たる地位をも奪う重要事項の決議に際しこれが裁決方法として無記名投票によるべきことは故あることである。仮に組合の最高機関である組合大会においてその多数の意思が一時的に規定に拠らない挙手の処置に出たことが許さるべき程度の瑕疵としても少くとも挙手により採決をなすに際し、組合員の自由なる意思決定が確保されなければならない。さてこれを本件について観るに、本件除名決議のな

された組合大会は、組合員に対してその前日九時頃開催の通知がなされ、これが附議事項については予め何等の告知もされなかつたこと、本件除名決議についての議題は大会の当日然も他の議題についての討論の途中において突如提案され、申請人等に弁解の機会を与えずして挙手により除名を決議し（右規約第六条に〈組合員は左の権利を持つ……賞罰規定の罰則処分に対する弁護の権利……〉と定められている）然も右採決をなすに際し組合員に対し挙手を強制する者もあつた等の事実が認められ、これらの状況よりして組合員の多くは時間的、内容的、心理的に十分に是非を分別し得なかつたものと認められ、従つて、自由なる意思決定が確保されたものと言うことはできない。然らば本件除名決議は、そのまま不問に附されない程に公正を欠くものと疑われるので、被申請人組合主張の除名事由の存否は暫く措き、本件除名決議は一応無効であると言うべきである。」（尾張交通労組除名事件、名古屋地判昭三二・一〇・三労民集八・五・五六一）。

組合規約に定めがない場合には、決議の方法については、その都度当該機関が自主的にこれを決定しうる。かかる場合においても無記名投票によることが一番望ましいわけであるが、多数者の意思を正確にかつ明瞭に反映しうるに足るものであれば、その他の方法によることも許容される。判例はこの点に関し、口頭でも【53】、あるいは組合員が席上賛否を表明するために左右に分かれる方法【54】でも差支えないとしている。

【53】「一般に会議における議案の採決の方法としては投票、賛成者の起立、挙手等の方法によつてなされることが多いであろうが、しかし決議の方法定足数等について当該会議体において別段の定めがなされていない限り、他の如何なる方法（それが多数者の意思を確認するに適当な方法でさえあれば）によるも許容されるものと解すべく、従つて議長から議案に対し異議はないかとの問がなされたに対し異議なしとの口頭の応答がなされて成立した決議も、それにより賛成者が過半数であることの確認がなされた以上、これをもつて無効の

決議となすことのできぬのは勿論であろう。本件において、被告組合の中央委員会における決議の方法定足数等につき別段の定めがあつたことについては原告等よりなんらの主張立証もなされていないから、前示認定のように議長において除名の賛成者が過半数に達したことを確認し除名に決する旨宣言した以上、右除名決議は有効に成立したものといわなければならない。」（前出【1】と同事件）。

【54】「組合大会における議事の議決方法について規約に何等規定のないことは当事者間に争なく証人……の証言に依れば大会が議決方法として分離の方法を採つたのは先ず議決の方法について討議の結果多数の意見に依り定められたものであることが明白であるからこれを目して少数派圧迫の手段であつたとは言えないし斯かる方法に依つたからと言つて意思表示（除名決議）そのものが公序良俗違反であるとは考えられない。」（井関農機株式会社労組除名事件、松山地判昭二四・一二・二八労働資料七・二八一）。

㈢　再投票　ある問題について採決の結果、賛成票が定数に達しなかつた場合には、其の議案は否決されたものと解され、同一会議において再投票を許さないことはあらゆる会議体の通則であり、除名問題とてその例外ではない。

労働組合が組合員の除名につき、除名を否とする決議が有効になされた後において、同一理由に基き再投票を行い、前の決議と相反する決議を行つて除名処分に付した事案において、裁判所は、組合規約に同一会議において引続き再投票をなしうる旨の特別の規定があるか、または重要な新事実の発見があつて前の投票が錯誤にもとづくと認められる余地のある場合等再投票を正当化する顕著な事由がある場合にかぎつて例外的に再投票を認めうることを前提としつつ、本件の場合にはかかる事実が認められないから、不公正な決議方法であるとして除名を無効としている。

【55】「殊に一旦有効に為された票決の結果を――単に除名賛成者が所定の数に達しなかつたから、除名の目的を達し得ないと言うだけの理由で――他に格別の理由もなく之を捨て去つて、同一会議に於いて引続き再投票を行い、前の票決の結果を覆すと言う如き事が果して許さるるや否やは、必ずや組合規約及条理に準拠して之を決すべく、若し組合規約が再投票を認めない趣旨であるときは、之に違反して為された再投票の結果は勿論法律上何等の効力なく、当初の票決の結果を覆し得ないものと言わなければならぬ。而して凡そ法令其他団体規約等に於いて除名の要件として一定数の団体員の同意を必要とする旨定めてある場合には、一旦投票の結果賛成票が其の定数に達しなかつた以上、其の議案は否決されたものと解され同一会議に於いて再投票の許されない事は、特に其趣旨の明文あるを待たず、あらゆる会議体の通則であつて、唯団体規約に於いて同一会議に於いて引続き再投票を為し得る旨の特別の規定があるか、又は重要なる新事実の発見ありて前の投票が錯誤に基づくと認めらるる余地ある場合等再投票を正当化する顕著な事由ある場合に於いてのみ其の例外を認め得るに過ぎない。蓋し之を反対に解し同一会議に於いて再投票を許すものとすれば、此の様な決議方法は結局、若し賛成者の数が三分ノ二に達しない場合には其の投票を全然無意味のものと為し、除名に賛成しない三分ノ一以上の投票者の意思を全く無視する反面、若し賛成票が三分ノ二以上ならば直ちに之を採つて除名せんとするものであり、且除名賛成者が三分ノ二に達する迄は何回でも投票を繰り返し得る事を認めるものであつて、被除名者に利益なる票決の結果は常に之を無視し、不利益なる結果に於いてのみ投票の効力を認めんとするものであるから、被除名者にとつて不公正な決議方法と言うべく、たとえ其の会議体の多数決に依つて斯かる決議方法を採用した場合と雖も、其の方法による決議は無効たるを免れない。尤も斯様な決議の方法と雖も予め組合規約其他の団体規約に於いて明確に之を容認している場合は之を有効と認める外はないけれども、本件に於いて成立に争なき乙第四号証に依れば、代議員大会に適用せらるべき組合規約には、右の如き再投票を容認した規定がないから、前説示の理由に依り同一会議に於ける再投票を許さない趣旨と解すべきである。」

（前出【41】と同事件）。

四　被除名者の議決権

除名の対象となつている組合員に十分な防禦の機会を与えなければならないことはいうまでもないが、除名の決定に際して被除名者自身が表決に参加できるかどうかが問題となる。

前出【47】の判例は「本人自ら釈明の機会と表決の権利を放棄したものと見るべきであるから……」（傍点筆者）と述べ、被除名者自身が除名決議の表決に参加できることを当然の前提としており、さらにつぎの判例も、被除名者の投票を排除すると(イ)団体の真の総意がえられない、(ロ)それは団体法の原理に反し、(ハ)かつ憲法十四条の精神に反する等の理由から被除名者の議決権を肯定する。

【56】　「或る議題につき個人的な利害関係を持つた者は、その議題については議決権の行使を排除されるかについて考えるに或団体の総意はその団体の構成員である個人の意思と特殊意思と呼ばれているものに依つて成立つものである。個人意思であるからには自己の利害関係についての意思もあるのは当然であり、自己の利害関係に関するの故を以てその意思を表決から排除すると言う理由は成立たない。斯様な個人意思を排除して行つた表決の結果僅かに一票の差であつたとする場合に若し排除された個人意思を少数票に加えたならば可否同数となつて可否が決定しないことになり、可否同数の場合に排除された個人意思を加えたならばその加えた方は一票の勝越で多数となつて成立すると云う結果になる。逆に当然加えるべき一票を排除したとすれば因つて得た団体の総意と称するものは実は真の総意ではないのである。此の事は所謂利益社会（ゲゼルシヤフト）にも又所謂共同社会（ゲマインシヤフト）にも共に妥当する。従て元来なれば自己の利害に関するの故を以てその意に反して議決権の行使を排除することは法律や規約に依つても之を奪うことは出来ないとせねばならぬ。

然るに翻つて既成法律を通覧すれば玆に一々枚挙する迄もなく斯かる場合には議決権の行使が拒否されていることを知ることが出来る。此等の事実から帰納した場合には必ずしも奪うことが出来ない。即ち特別の規定に依り奪うことも可能であると云う法則を認むべきではないかと云うことが一応考えられる。しかし此等の規定は団体法の原理とするところに反するは勿論憲法第十四条の精神にも反し、法の下に於て不平等な取扱をするものであるから憲法第九十八条に依り無効である。此の種の私法行為としての規約も亦民法第九十条に依り無効であると云うべく、斯様な無効の立法例や無効の慣行から帰納して法則を認むることの出来ないのは勿論である。」（前出【12】と同事件）。

右の判決の理由とするところについて、沼田教授は「(イ)は形式論であり、(ロ)は市民法上の団体と同視するものであつてそこではむしろ表決に参加しないのが原則であることを見のがしている、(ハ)は法の下における平等の意味を誤り解している」という批判を下しつつも、「除名はただに被除名者の生存権（私的利益）に関するのみでなく、同時に彼等をも含めた組合全部の団結を支配的な規範意識にしたがつて如何に運営するかという問題でもある……だから、社団が単に私的な経済的利益（生存権をそれにかけているのではない）の手段たるにすぎない市民法上の原則である利害関係者の表決権排除（例えば民六六条商二三九条四項）は労働組合の場合に直ちにあてはまるものではない」（沼田前掲書二四頁）という理由の下に被除名者の議決への参加を肯定される。

これに反し柳川氏他「判例労働法の研究」は、「決議につき特別の利害関係を有するものは表決に参加し得ない」とすることは民法第六六条、商法第二三九条第四項をはじめ、従来あらゆる法域において一般原則として採用されてきたところであつて、いま労働組合なるがゆえをもつて特にこの原則を変更すべき理由並びに必要を見出し得ない。もっとも労働組合においては民法上の組合、合名会社、合資会社等と異り、その特質として集団除名——一部組合員が結束して組合の統制を破ったような場合——ということも許されてしかるべきものと考えられるから、かかる場合には、時に少数者が多数者を除名するという一見団体法理に反するような現象を呈することもあり得るが、この場合にも、除名事由の当否の面から、除名の効力を争い得る余地は十分に残されているのであるから、右の一般原則を曲げてまで、これを特に違法視するには当らない。このことは商法第二五三条の趣旨からも窺い得る。同条の立法趣旨は特別利害関係者の議決権の数が多いにかかわらず、決議に参加し得ないために、決議が決議参加者の比較的少数の議決権で左右せられ、不当な決議がなされることを防止するにあるのである。労働組合においてもこれとその理を異にしないであろう」（同書、一七九—一八〇頁）と述べ、被除名者の議決への参加を否定的に解される。

除名の賛否を問う議決は、要するに当該除名問題についての組合員の支配的な規範意識を深求し、これを具体化するための手段であるから、いかにすれば最も正確な総意を把握しうるかという観点に立って考察すべきである。そうだとすると、その者を組合から排除しなければ団結が維持し難いとして、団結の維持強化の観点から組合の運営についての意思決定を行わんとするときに、いまだ組合員としての権利と資格を奪われていないとはいえ、一応団結を乱したという点で非難の矢面に立っている者を除名の意思決定に加えれば、団体意思が混濁せしめられる点でなにか釋然としないものを感じる。弁明権は不可欠のものと考えるが、特別利害関係者の表決権排除の一般原則をこえてまで積極的に議決権を肯定することには躊躇せざるをえない。

五　除名手続の瑕疵と除名の効力

除名手続に瑕疵が存する場合には、除名決議は原則として無効となる（前出【41】参照）。ただし除名決議という組合員の集団的な意思形成になんらの影響も与えないことが明白な些細な手続上の瑕疵が存するにすぎない場合には、例外的にこれを是認しても差支えないであろう。判例も、所定の手続に違反する除名決議は違法であるが、常に決議全体の無効をきたすものではなく、結果に影響のある場合にかぎつて、無効となると解している。

除名決議を無効とするほどの重大な瑕疵に該当すると認められた事例には、前出【41】八幡製鉄労組除名事件（除名を否とする決議が一旦有効に成立したにもかかわらず、同一理由にもとづき再投票により、除名を可決）、【43】秋北乗合自動車労組除名事件（除名は組合大会において議決すべき旨の組合規約に反し、執行委員会において除名を決定）、【51】国際興業懲戒解雇事件（除名決議は無記名投票により行う旨の組合規約に反し、挙手により除名を決定）、【52】尾張交通労組除名事件（無記名投票によるべき旨の組合規約に反し、挙手により除名を決定）およびつぎに掲げる野上電鉄労組除名事件がある。

【57】（事実）組合員を懲罰処分に付する場合には、査問委員会の審議を経て組合の委員会の決議によるべき旨の組合規約に違反し、査問委員会の審議を経ないで組合委員会で除名を決定。

（判旨）組合規約四九条に組合が組合員を懲罰処分に付する場合には、まず査問委員会の審議を経べき旨を明記しているのは「懲罰問題は先ず査問委員に懲罰事由の存否を愼重に調査させ、その調査の結果に基く査問委員会の意見を徴して具体的に如何なる処分をなすかにつき、最終的に組合の委員会に決議させ、そうすることによってその処分の適正を保持せんとしているものと解すべきであり……したがってかかる趣旨で設置された査問委員会の審議を経ずしてなした委員会の申請人に対する除名の決議は著しい手続のかしがあり無効というほかはない。」（野上電鉄労組除名事件、和歌山地判昭三二・九・一六労民集八・五・五五一。判批・山本吉人「除名手続違反と除名の効力」季刊労働法二七号）。

これに反し、被除名者の議決権の行使を拒否した前出【54】の事件においては、被除名者を表決に加えたとしても結果に影響のないことが明らかであるから除名は有効であるとされている。

【58】「斯様に利害関係ある者の議決権の行使がその故に拒否されたからと云つて必ずしも常に決議全体の無効を来すものではなく拒否された者が議決権を行使すると否とに依て決議の結果に影響のある場合のみ決議全体の無効を来たし、然らざる場合は無効を来すものではないと解する。右の場合議決権の行使を拒否することは無論違法ではあるが、それは拒否されたその人のみに関するものであるからである。而して本件に於ては……投票及その計算の際に原告等を立会させなかつたと云うことは一応は違法ではあるが、……原告両名を出席者とし、且つ反対意見として計算しても尚且つ除名賛成は過半数以上であり、従つて右原告両名表決に加えたとしても結果に影響がないことが明かであるから、右原告両名の表決を拒否した違法があるに拘らず、此の故を以て決議の無効を来すものではない。」（前出【12】と同事件）。

また組合大会における除名決議が、組合規約所定の公示日数を欠いてなされた事案において、裁判所は組合規約に違反する違法があると認めながらも、つぎのような事実認定から、右の手続違反は、除名の決議を無効ならしめる程の重大な瑕疵ではないと判断している。

【59】「組合規約第十七條によると、緊急やむをえない場合の外は大会の開催日時、場所、主要議題は、少

くとも一週間前に公示されなければならないこと、しかるに本除名大会の公示の日と大会開催の日との間には、所要日数一週間の余裕がなかつたことは当事者間に争いがない。

被告は、一週間の余裕を置きえなかつたのは、除名大会の早期開催を希望する空気が一般組合員の間に強かつたことと、職場の公休日である六月十五日を逸すると適当な日時を選定し難い事情があつたため緊急やむをえないものと認め、規約に基き短縮したものであり違法ではないと主張するが、この緊急性の有無は、大会の議題それ自体が緊急に決定を必要とする事項なりや否やによつて判断すべきものと考える。しかるに当時被告組合が原告等の統制違反に対する処罰を、緊急に決定しなければならぬような事情があつたと認めうる証拠はない。従つて公示手続は規約に違反する違法があると言わざるをえない。しかし大会開催日と公示の日との間には所要日数一週間に僅か二日の不足あるにすぎず、しかも「処罰事由となつた原告等の行為については、当時已に被告組合の機関紙や職場常会等を通じる等して一般組合員に周知されていたことがうかがわれるし、又公示日数の不足のため、原告等を含めた組合員に対し不利益を与えたと認めうる証拠もないから、右の手続違反は、本除名大会の決議を無効ならしめる程の重大な瑕疵ではないと考える。」（前出【10】と同事件）。

なお前出【11】の事案（一部組合員の妄動によりひき起された会社および従業員全体の死活に関する事態解決のための止むをえない措置として会社、職員組合、労働組合の三者の協定にもとづき労働組合が右の組合員を除名）において判旨は、かかる非常の事態の場合には、除名手続の瑕疵の有無にかかわらず除名は有効であると判示しているが、賛成し難い。

さらに除名に賛成した者の一部に錯誤がある場合の除名決議の効力に関し、つぎの判例がある。

【60】「除名に賛成した十八名の幹事中には遠藤良造の如く組合員を制裁するには出席した幹事の三分の二以上の所謂特別決議を要することを失念して右会議に臨み、しかも右会議中この点についての説明乃至注意が

なされなかつたので単に所謂多数決で足りるものだと考えていた者もあつて、これ等の者の中には若し所謂特別決議を要するものであることを知つていたならば前示の如く原告を除名することに賛成しなかつたであろうと思われる者も居たことを認めることができる。しかし右幹事の意思表示に、たとえ錯誤があつたとしても、それは単に動機の錯誤に止まり、除名の決議そのものの効力には何等の影響を及ぼさないものであつて、かえつて組合員を制裁するには所謂特別決議を要することを失念して前示決議に参加した幹事の怠慢こそ非難せらるべきものである。」（前出【16】と同事件）。

つぎに従来、組合規約所定の懲罰手続によらないで組合員の処罰が行われてきたという慣行が存在する場合に、これを手続上の瑕疵となしうるかどうかが問題となる。しかし判例は、かかる慣行の効力を否定し、これをもつて除名を有効とする理由にすることはできないと判示している。正当というべきである。

【61】「組合規約は組合が一つの社団として活動するためもうけられた組合内部の組織に関する自主的な根本法規範であると解するから、各個の組合員はもとより、最高機関たる組合大会といえどもこれにき束せられ、正当な手続によつて改正変更されない限りこれを無視することは許されず、組合における慣行といえども組合規約に明文のない事項についてはともかく、組合規約の明文に反するものは効力を有しないものというべきである。ことに組合員の処罰に関して厳としてその手続規定が存することは前示のとおりであるから、たとえ組合主張の如く過去に組合員の処罰に関し査問委員会の開かれた例がないとしても、これをもつて本件除名を有効とする理由にすることは出来ない。」（前出【57】と同事件）。

また組合規約所定の決議方法に違反する除名決議の瑕疵が、組合大会の了承により、あるいは、後日の組合大会において規約所定の決議方法にしたがつて改めて決議することにより治癒されるか否かが争われた事案が存する。判例はいずれもこれを否定的に解する。判旨に賛成である。

【62】「被申請人は、前記除名決議が無効であるとしても、組合は、昭和三十年二月二十六日臨時組合大会を開き、無記名投票の方法により、右除名決議が有効であることを確認する旨の決議をしているから、右除名決議は有効となり、従つて本件解雇の意思表示の瑕疵は治癒されたと主張する。しかしながら、後に開かれた組合大会において、先の決議の有効なることを確認する旨の決議をしたとしても、これにより先になされた無効な決議が有効に転換し、又はその瑕疵が治癒される根拠を見出し得ないから、右主張は採用するに由ない。」(前出【51】と同事件)。

【63】「組合は、委員会の除名決議に対し申請人が異議の申立をしたのに対し、その再審議のため組合大会が開かれた際、査問委員会の開かれてないことにつき質疑があつたがそれに対する組合理事者の答弁を大会が了承し、結局申請人の異議を認めなかつたものであるから手続のかしは治ゆされたと主張し、この事実は申請人において明かに争わないことであるが、組合大会といえども自己の法規範たる組合規約に拘束されることは前示のとおりであるから、たとえ組合大会において査問委員会を開かず委員会が申請人を除名したことにつき了承したとしてもそれによつて前示懲罰手続のかしが治ゆされたと解することは出来ない。」(前出【57】と同事件)。

六　除名にもとづく解雇の正当性

ユニオン・ショップ約款と解雇との関係については、別のテーマの下に独立して研究されることになつているので、ここでは除名を原因とする解雇について、除名の正当性が右解雇にどのような影響を与えるかという点にふれた判例を掲げておくにとどめる。

判例は一致してユニオン・ショップ約款は、除名が有効に行われたことを前提とするものであるから、除名が無効であれば、除名を原因とする解雇も無効となると判示する。

【64】「被申請会社が被申請組合よりの除名の通告に基いて昭和二十四年二月二十四日附をもつて、労働協約及び附帯覚書により申請人等を解雇したことは当事者間に争がなく、成立に争のない丙疎第一号証（労働協約及覚書）によれば〈会社の従業員は組合員たることを要すると共に組合は会社の従業員に限る〉〈組合に於て除名せられる者は協約第一項により会社に於て之を解雇するものとする〉旨規定せられていることが認められるが、右解雇の前提となつた除名が無効であることは前記認定の通りであるから被申請会社のなした解雇も亦この原因なきため無効のものであり、申請人等は被申請会社に対して従業員としての地位を失わないものとみとめる。」（前出【4】と同事件）。

【65】「前提をなす除名処分が無効である以上解雇処分も亦解雇手当支給の有無に拘わらず無効となり被告会社原告等間の雇傭契約も存続することとなるので此の点に関する原告等の請求も亦理由がある。」（前出【20】と同事件）。

【66】「原告は右除名決議によるも未だ彦根労働組合の組合員たる地位を失つていないものというべきであるに拘わらず、被告会社がかかる無効の除名決議に基き、労働協約第二十二条末号の解雇事由ありとしてなした原告に対する本件解雇の意思表示もまた当然無効だといわねばならない。」（前出【2】と同事件）。

【67】「ユニオン・ショップ条項に基く解雇は、除名が有効に行われたことを前提とするものであるから、除名が無効である場合は、ユニオン・ショップ条項に基く解雇もその有効性を主張し得ない。」（前出【56】と同事件）。

なお右【60】の事件において判旨が「除名決議は必然的に被申請会社を拘束するものではなく瑕疵ある決議にたいしては解雇しない自由を有するものであるが、この機会において被申請人会社がこの点を相当調査したような疎明はない……」と判断し、さらにつぎの判例において裁判所がユニオン・ショップ協定の本質から、除名が団結権護持のため正当に行使されて始めてユニオン・ショップ協定にもとづく解雇義務が発生する、したがつて右の解雇は、その前提たる除名の効力いかんにかかわると判示しているのは、これまでの判例の趣旨をさらに明快に表現したものである。

【68】「ユニオン・ショップ条項は会社と組合との連繫の下に会社の不当労働行為に利用され或は組合が特定の組合員を不当に排除することに利用されてはならないのであるから、懲戒権の発動として除名がなされる場合、それが団結権護持のため正当に行使されてはじめてユニオン・ショップ条項はその発動の実質的根拠を有するのであつて、会社の組合に対する団結権護持協力義務が実質的に存在するものであり、このような実質を欠いてただ形式的手続的にユニオン・ショップ条項が働く場合には、会社の組合に対する実質的解雇義務は具体的には発生していないものといわねばならない。このような場合における会社の解雇は、形式的手続的な意味において適法な義務履行行為であるにかかわらず、実質的な意味においては義務なき解雇である。ユニオン・ショップ条項に基く解雇は組合に対する義務履行として行われるところにのみ法的根拠をもつ特殊な解雇であるから、このような法的根拠を欠くところには法的効力を認め得ない。その解雇権は組合に対する実質的義務と表裏一体をなしているのであつて、その義務の発生しないところにその権利は発生しない。従つてたとえ手続的に適法であつてもその解雇は無効である。よつて本件解雇はその前提たる除名の効力いかんに係るものといわねばならない。」(住友石炭鉱業弥生炭鉱労組除名事件、札幌地判昭三〇・七・一九労民集六・六・七六六)。

除名の効力は、組合内部において除名が最終的に決定したときに確定する。したがつて組合規約に不服申立の方法が定められ、提訴中である場合には、この手続が終了しないかぎり除名の効力は発生しない。東洋紡績除名事件（山口地決昭二五・九・九労民集一・五・八二七）において決定は、「組合拡大斗争委員会により組合から除名された者が、組合規約の定めに従い、その上級機関たる組合大会に不服の申立をし、まだこれに対する決定が行われていない場合において、使用者がクローズド・ショップ約款に基いて右組合員を解雇することが許されるか」という問題に対し、疎明不十分として申請を却下し、本問に対する見解を示さなかつたが、組合員の除名につき、組合規約上不服申立の方法が認められているかぎり、その確定前にクローズド・ショップ条項の発動をなすことは許されないであろう。

七　除名の効力停止の仮処分

組合員が、組合から除名処分に付された場合、組合員としての権利を剝奪され、組合からの保護を期待しえない状態におかれたまま除名決議が無効であることの確定をまつことは、その組合員にとつて著しい精神的な損害であるといえよう。とくにわが国のごとく企業別組合の形態をとるところにおいては、除名の決議によつて組合員たる地位を否認せられるとともに、右の組合員は会社従業員としての就業にも、他の組合員の有形無形の圧迫を感じることがあるであろうし、とくに炭鉱地帯におけるがごとく、居住地域が会社の社宅のみで構成されている場合には、私生活の面でも精神的な苦痛を味うことが多い。したがつてかかる精神的損害を避ける意味で仮の地位を定める仮処分の必要性を認めうる。

もちろん、右の組合員は、組織による非難の対象となつて除名されたのであるから、被除名者が仮りに組合員たる地位に法律上復しえたとしても、組合員の白眼視を避けることができず、あるいは組合からの保護を期待しえないと認められる場合も生じうるが、それはあくまでも事実問題にすぎず、法律的にはその保護が期待されるので、かかる場合においても仮処分の必要性を認めることができる。

【69】「申請人等代理人は

(1) 組合は本件除名処分に基き既に会社に対し申請人等の解雇を要求しているので申請人等はいつ何時解雇処分を受けて生活の経済的基盤を失い家族諸共路頭に迷うかも知れない重大にしてかつ急迫した危険に曝されている。

(2) 申請人等の居住地域は会社の社宅のみで構成されている炭鑛特有の事情にあるので他の社会と異り勤務上は勿論のこと私生活上も終始他の組合員と密接な交渉を余儀なくされ、被等の白眼視と圧迫により申請人等は四、六時中他の社会に見られないような深刻な精神的苦痛を味つている。

(3) 申請人等は先に発せられた解雇禁止の仮処分命令により従業員としての地位を辛うじて保持している現在に於ても組合員たる地位に伴う一切の恩恵をはく奪されているので其の生活に及ぼす影響は甚大である。

と主張するが、解雇失業に伴う経済的危機の急迫性は当裁判所が会社に対して先に発せる解雇禁止の仮処分命令により一応解消したものと云わねばならない。

然しながら申請人等が除名により蒙る精神的苦痛は炭鑛の特殊事情と相俟つて他の職場社会に見られない深刻なものであろうことは容易に察知し得る所で仮処分の必要性は存在するものと云わねばならない。」（前出【40】と同事件）。

【70】「一般に組合員が労働組合の組合員としての権利を剝奪され、組合員としての利益を享受できない状態におかれたまま除名決議の無効であることの確定せられるを俟つことは回復し難い損害を蒙るものというべ

きである。ところで本件においては申請人が執行委員会総会等において組合を脱退する等の趣旨の発言をなしていることは疎明によつて認められるのであるが、右は現執行部に対する強い不満の意を表明したものにほかならないと解すべきであつて、申請人が労働組合の組合員たる利益は全く不必要視しているものであると断定することはできないから本件除名決議の効力を停止し組合員たる仮の他位を定める必要性がないということはできない。

㈢ 次に、申請人は本件除名決議によつて組合員たる他位を否認され、会社従業員としての就業にも他組合員の圧迫を感じて支障があることが明かであるから、本件仮処分においては本件除名決議の効力を停止し他は組合の任意の履行に期待するをもつて仮処分の目的を達し得るものと考えられるから本件除名決議の効力を停止する旨の命令をもつて相当とすべく、……」（前出【14】と同事件）

つぎにユニオン・ショップ約款が存在する場合に、解雇失業という著しい損害を避けるため組合を相手方として除名処分の効力停止を求める仮処分申請をなしうるであろうか。つぎの判例はこれを容認する。

【71】「債権者等はクローズドショップの関係上会社から解雇せられる虞があり、若し解雇されるときは失業して現下の情勢から容易く他に就職することも期待薄く生活を脅威されると云う急迫の情況にあるから、本案確定に至る迄仮りに組合員たる地位を定むる必要があると認められる。」（東洋陶器従組除名異議申請事件、福岡地小倉支判昭二三・一二・二八労働資料三・一二五）。

しかし名古屋交通労組除名事件において、名古屋高裁【68】は現在生活に窮しているというだけでは、組合のみを相手方として、組合員の除名決議の無効を前提とする組合員たる仮の地位を定める仮処分の必要性を肯定しえないと判示し、最高裁【69】も、組合から除名され、つづいて使用者から解雇された者が、組合を相手方として申請した組合員たる仮の地位を定める仮処分事件において、申請が容れられると使用者が解雇を取り消すかも知れないという事情は、仮処分の理由とならないとして右の判決を支持している。

【72】「ところで控訴人等は被控訴組合の不当な除名処分によつて、被控訴組合と名古屋市交通局との間の労働協約に基づき同市から解雇せられたので被控訴組合に対し組合除名処分無効確認の本訴を提起するのであるが、現在失業して生活に窮しているのでその本案の確定にいたるまで右除名処分の効力停止の仮処分を得て前記市交通局に復職したいというのである。

しかし控訴人等の被控訴組合を相手方とする仮処分が第三者たる前記名古屋市交通局を拘束しないことはいう迄もないことであつて、たとえ控訴人等が右のような仮処分の裁判を得たとしても名古屋市交通局は、その独自の見解によつて控訴人等の除名を正当と認めるならば控訴人等主張のように労働協約をたてにとつて解雇の取消に応じないであろう。したがつて、右のような仮処分の裁判があれば名古屋市交通局は控訴人等を復職させるであろうというのは、控訴人等の独りよがりの希望的観測に過ぎないものといわねばならない。たとえ右交通局が控訴人等を復職させるようなことがあつたとしてもそれは仮処分の効果としてではなく右交通局自らの事情によるものである。控訴人等が右交通局に復職するためにはどこまでも右交通局を相手取つて解雇の無効を主張し、必要とするときは交通局を相手方として解雇の効力停止の仮処分を求むべきである。

すなわち本件仮処分は控訴人等の主張する解雇失業という著しき損害を避けるための必要な場合に該当せず、従つて仮処分の要件をみたさないから、控訴人等の申請はその余の点を判断するまでもなく失当なこと明かであつて原審が控訴人等の申請を却下したのは結局において相当である。」(名古屋交通労組除名控訴事件、名古屋高判昭二四・七・一三労働資料七・三五一)。

【73】「名古屋交通局が解雇を取消すか否かは本件仮処分の有無に関係ないこと前説示の通りである。〈解雇を取消すかも知れない〉というくらいのことでは仮処分の理由となり得ない。本件仮処分は〈除名処分が無

効である〉という終局的の裁判をするのではない。只一応の疎明によつて仮りに一時除名処分の効力を停止するだけのことであり、全く当事者間だけのものであつて、第三者たる名古屋交通局に何等影響を及ぼすものではない。原審が所論の如く判示したからといつて国民の遵法精神や、裁判の権威に毫も関係する処はない。

第三点に対する判断

原審が所論の如く判示したのは正当である。上告人は本件仮処分申立の様な理由で仮処分を求めるなら名古屋市を相手として解雇処分の効力一時停止の仮処分を求むべきであつた。本件仮処分が右名古屋市相手の仮処分に先行しなければならない理由もないし、その基礎となるものでもない。」（名古屋交通労組除名仮処分上告事件、最判昭二六・一・三〇労民集二・三・三九五）。

右の最高裁の判決に対し、柳川・高島氏は、仮処分は、緊急事態に対して権利者に例外的に認められる権能であるから、その処分は被保全請求権に直接必要なものにかぎられる、したがつてユニオン・ショップ協定によつて組合員が解雇された後は、解雇失業という著しい損害を避けるためには、使用者を相手方として解雇処分の効力停止の仮処分申請をすべきであつて、組合を相手方として組合員除名処分の効力停止を求める仮処分申請をすべきではない（柳川・高島「労働争訟」一三〇頁）という論拠の下に賛成され、吉川教授も、民事訴訟法の当事者主義の建前から、除名処分の無効確認の判決は第三者たる市交通局に対しては既判力を及ぼさない（吉川「仮処分に関する最高裁の判例概観」立命館創立五十周年記念論文集一四八頁）として右の最高裁判決を支持される。

これに対し沼田教授は、ユニオン・ショップ約款の本質から、「除名とこれに基く組合からの解雇要求によつて課せられる使用者の解雇義務は、除名の効力の停止によつて停止せられるのは当然のことである。除名が無効と決れば解雇も無効である」（同氏前掲書二二頁）として右の判決に反対される。

もちろん、本件のごとき場合には、使用者をも当事者に加える周到さに如くはないのであるが、ユニオン・ショップ約款にもとづく解雇は、その前提たる除名の効力いかんにかかわるものであり、除名処分の効力と解雇の効力とは、いわば表裏一体の関係をなしているのであるから、任意の履行を期待する仮処分として許容されてもよいのではなかろうか。

この点でつぎの判決は興味深い問題を示しているように思われる。

【74】「被申請人は右協定から発生すべき解雇の虞れを理由とする被申請人に対する組合員としての仮の地位を定める本件仮処分申請は其の要件とする必要性を欠き許されないものであると主張するので先ずこの点について按ずるに、なる程被申請人を相手とする本件仮処分が第三者たる訴外住友石炭鑛業株式会社を法律上拘束するものでないことは被申請人主張の通りであり、又既に解雇された後において組合に対して為された除名決議の効力停止を求める仮処分申請について其の主張の如き判例のあることも明らかであるが、既に除名に因る解雇という処置が会社によつてとられている場合に、その解雇者たる会社に対しては何等拘束力を有しない組合に対する仮処分をすることによつて或いは会社が解雇を取消すかも知れないという状態をもたらすことと、未だ解雇の処置がとられて居らずその除名処分の当否について会社が考慮している際に除名の効力を停止する仮処分を為すこととは仮令会社に対して拘束力を有しないという点では同じであつても、会社の判断及び事後の行為に対する影響力には格段の差があると認められるのみならず申請人に対し除名の効力を停止する仮処分をなすことにより尠くとも会社は組合の権利としての申請人解雇要求を受けなくなる訳であり、解雇の虞れが相当程度減少することはいうを俟たないところである。ただ右の如き解雇により生ずる損害は除名により直接発生するものでない為かかる場合は仮処分の必要性を欠くのではないかとの疑を生ずるが、本件の如きユ

ニオン・ショップ約款の存する場合は除名即解雇であり、事実上は直接の損害と殆ど変りがないのみならず、更に除名処分により何時解雇されるかも知れないと言う不安、組合員としての地位を喪失したことによる苦痛等その精神的な面に与える影響の深刻なものであることは容易に察知出来るところであるから、かかる場合においても亦仮処分の必要性に毫も欠くるところなしと言わねばならぬ。」（前出【13】と同事件）。

労働組合

――その組織と統制――

石井照久

はしがき

労働組合に関する判例の研究としては、本書には、本稿のほか「御用組合」、「除名」及び「労働組合の分裂と解散」とが収められている。従つて本稿は「労働組合―その組織と統制―」として、判例を通して労働組合の意義及び地位を一般的に考察することに主眼をおき、さらに労働組合の態様として連合体や単一組合と支部組合の関係などを吟味した。つぎに労働組合への加入脱退の自由を労働組合規約との関連において考察し、また、労働組合の統制の範囲ないし限界を明らかにすることにした。これらの点の考察に当つては、除名に関する判例の研究と若干重複するものがあるが、本稿では労働組合の基本的な性格に着眼し、労働組合の統制力と組合員の自由の関係に焦点をおいている。

なお、労働組合大会の運営の手続に関する判例には言及していないが、それは主として除名に関連して問題となつているので、「除名」に関する研究のほうに譲つたわけである。

（昭和三四・三　記）

一　労働組合の意義

一　緒　説

憲法第二八条は労働者の団結権を保障しているが、労働者の団結の典型的な形態としての労働組合については、労働組合法第二条がこれを具体的に定めている。この労働組合法の定める労働組合の概念それ自体は、法律的には実定労働組合法の諸規定の適用関係、とくに、それが予定する労働組合に対する特別の保護助成との関連において、どのような労働者の団体を労働組合とみるかということを定めているにすぎない。しかしこのような実定労働組合法における労働組合の概念も、憲法が一般的な形で保障する労働者の団結の典型的な形態としての労働組合、即ち歴史的・社会的実在としての労働組合の概念と本質的に異るものではありえないことは当然のことである。現に労働組合法第二条は、労働組合としての「積極的な要件」として、(1)労働者が主体となつて、(2)自主的に、(3)労働条件の維持改善その他経済的地位の向上を図ることを主たる目的として組織する団体であることを定めており、労働組合の本質的概念がこの点に存することは多言を要しないところである。ただ、労働組合法第二条は、その本文において右の趣旨を明定したのち、その但書において「但し左の各号の一に該当するものは、この限りでない」として、いわゆる使用者の利益を代表する者の参加するもの(同条一号)及び使用者から経理上の援助をうけるもの(同条二号)を除外している(共済事業のみを目的とするもの、主として政治運動または社会運動を目的とするものの除外は、むしろ当然の事理の表明にすぎないが(同条三号四号))。これはいわば労働組合としての「消極的な条件」を定めたものであり、この点において労働組合法は実定法規上の具体的な労働組合の概念として「特別なもの」を要求していることになる。そこで労働者の団体として右の積極的な条件をみたしてはいるが、この消極的な条件の点で欠格的な団体が労働組合法の適用関係においてどのような地位におかれるかということが、憲法における団結権の保障との関連において法律上重要な問題となつてくるが、この点は「労働組合の地位」において後述することにし、ここでは、まず、労働組合として本質的な要件を、主として積極的な条件の面から考察し、それとの関連において、消極的要件の面をつぎに考察する。

二　労働者の統一的組織体

(1)　労働組合は労働者の団結の典型的な形態であり、それは人が労働者としての人格の側面における結合意義を媒介とする人的結合である。ここに労働者というのは、「賃金、給料その他これに準ずる収入によつて生活する者」であるが（労組法三条）、この場合、給料のみによつて生活を支えている者に限られることはなく、また、現に給料をえて生活している者に限られるものでもなく、労働能力を有する以上、いわゆる失業者・退職者をも含む広い概念である（石井＝萩沢・判例労働法二三九頁）。従つて使用者から解雇を云い渡された労働者たちが解雇に反対して結成した団体であつても、それが後に述べるように労働者の統一的組織体としての性格を具備する以上、なお、労働組合たりうる。つぎの判例は、問題とされている退職者同盟が統一的組織体としての基盤を欠くという理由から、労働組合ではないと認定したようであり、それはその限りにおいて正当であるが（一六一頁以下参照）、その団体の当面の目的が解雇撤回のみにおかれているのでは、その目的の面からみて労働組合たりえないような判示をなしている点は必ずしも適切ではない（石井＝萩沢・判例労働法二三九頁）。

【1】　「労働組合とは労働者が主体となつて自主的に労働条件の維持、改善其の他の経済的地位の向上を図ることを主たる目的として組織する団体であると規定するから労働組合たるには各構成員間に団結体たるにふさわしい共通の基盤としての利害関係と共同に追求すべき目的とによつて貫かれる普遍団体的な連帯意識の紐帯を具備することを要し、且つその目的は労働条件の維持改善其の他経済的地位の向上を図ることを**主と**するものでなければならないことから言つて現在又は将来の使用者との間に存し又は存すべき労働関係を前提としその関係における賃銀労働時間其の他の労働条件並に一般雇傭契約上の権利につき労働者に有利な経済的地位、待遇を維持し、増進し又は獲得するものでなければならないものと解すべく、然るに右同盟の性格には先に見たように全同盟員間に右のように統一的な共通の基盤に立脚する権利関係や共同の統一的に結ばれた全一体的な連帯意識なく亦其の主体たる一部同盟員の意図する結成の目的は単に労働関係の存否を決する解雇の効力をめぐつて使用者と対立抗争し解雇の無効に関する自己の主張並に之に附随する争点を自己の有利に導くことのみに存し賃金労働時間其の他の労働条件並に一般雇傭契約上有利な経済的地位、待遇の維持増進を計るのではないから右退職者同盟はついに労働組合法上の労働組合たる資格を具備することのないものと断ぜざるを得ない」（名古屋高金沢支判昭二五・六・三〇刑資五五・八二）。

いずれにせよ、労働組合は労働者の結成する団体であり、且つその団体は「使用者との関係」において（前述のように現に特定の使用者に雇用されている場合に限らないが、この場合でも「使用されることを期待している関係」があることを要する）、労働者としての結合意識を媒介とする団体である。従つて労働者が一般市民とともに一般的に食糧の公平な配分を期することを目的として結成する生活擁護同盟などは、参加労働者も結局は一般市民としての地位に立つての運動とみるべく、労働組合としての性格を有するものではない。

このことは、これを労働組合の「目的」として表現してもよく、労働組合は前述のように労働条件の維持改善その他経済的地位の向上を図ることを主たる目的として組織する労働者の団体であるということになる。これらの点については、憲法における団結権及び団体交渉権の保障に関しつぎの判例がある。

【2】　「憲法第二八条はこの趣旨において、企業者対勤労者すなわち使用者対被使用者というような関係に立つものの間において、経済上の弱者である勤労者のために団結権乃至団体行動権を保障したものに外ならない。それ故、この団体権に関する憲法の保障を勤労者以外の団体又は個人の単なる集合に過ぎないものに対してまで拡張せんとする論旨の見解にはにわかに賛同することはできないのである。もとより一般民衆が法規その他公序良俗に反しない限度において、所謂大衆運動なるものを行い得べきことは、何人も異論のないところであろうけれど、その大衆運動なるの一事から苟くもその運動に関する行為である限り常にこれを正当行為なりとして刑法第三五条に従い刑罰法令の適用を排除すべきであると結論することはできない」(最判昭二四・五・一八刑集三・六・七七二、石井＝萩沢・判例労働法六頁参照)。

(2)　労働組合は労働者の結成する人的結合として、法律的には二人以上の労働者の結合により形成されるものであるが、労働組合たるためには、それは統一的な組織体としての性格を有するものであることを要する。この意味では、労働者の共通の意識による結合体であるべきことは当然のことである（石井＝萩沢・判例労働法二三九頁）。つぎの判例も右の趣旨を示すものといえる。

【3】「解雇通知を受けた従業員の不平組が先の任意退職者中の一部の者を誘つて組織した退職者同盟のように、『……その構成は多く委任状の提出又は交付によるものであり同盟員各自の資格、立場、意思、主張を分明に捕捉することの困難な雑多の諸分子を包括する所謂寄合世帯の観を呈するもの？』につき『……労働組合たるには各構成員間に団結体たるにふさわしい共通の基盤としての利害関係と共同に追求すべき目的とによつて貫かれる普遍団体的な連帯意識の紐帯を具備することを要す……』とする見地から労働組合の資格を否定している」（名古屋高金沢支判昭二五・六・三〇刑資五五・八二）。

ただし、労働者の共通の意識による結合が常に当然に労働組合と認められるものではなく、労働組合としての統一的組織体性は、労働組合を一つの統一的にして而も継続的組織体として構成せしめるについての基本的な規準、即ち組合規約を有する人的結合たることにおいて団体としての性格を具体的に実現する。従つて多数の労働者が事実上代表者を選んで使用者と交渉しただけでは、労働組合を結成したものとはいえず（石井＝萩沢二四〇頁）、また、一定の目的実現のために労働者が結合して一時争議行為を行つているようなとき、いわゆる「争議団」の如きときも未だ労働組合とはいえない。

【4】「原判決が一方において六月七日前記中丸が全従業員を代表して被告人に対し全員辞職の申出をしたとしながら、他方においてその前日六月六日の労働組合が結成されたという事実は認められないとしているがこれは相互に矛盾する結論で到底是認するを得ないと主張する。しかし、原判決が中丸は全従業員の依頼を受けて賃金値上等の要求事項につき被告人と交渉するに際し、被告人に対し右要求が容れられない場合は全員辞職すると発言したのを、被告人が言葉どおりに受取り、右の中丸の代表発言により真実全員辞職の

申出をしたものと誤信したのではないかと思われる節があると判断しているが、その判断は当然に、その前提として、交渉前に既に労働組合が結成されていることを是認するものと解さねばならない理由はない。中丸に全員辞職申出の代表権限ありとすることとその申出前に労働組合が結成されていないと認めることとは、相互に矛盾する結論ではない。何となれば組合は結成されていなくとも、全従業員が事実上代表者を択んで使用者と交渉し、代表者を通じて全員辞職の申出をなすこともあり得ないことではないし、そして、このような場合にその従業員の集団そのものも、未だ組合とは目し得ない場合もあり得るからである」（最判昭二五・七・一一刑集四・七・一二五四）。

三　労働者の自主的団体

労働組合は労働者の統一的組織体であるが、それは労働者の自主的な団体であることを要する。この点については、労働組合法第一条は、労働者が「主体となつて自主的に」と表現しているが、それは量及び質の両面からみて労働者が主体となつている自主的な団体であることを意味するものであり、労働組合としては、むしろ当然の要請の表明である。

労働者の自主的な団体ということは、第一には労働者の団体が国家から無用不当な干渉をうけないということ、第二には、使用者からの支配介入などをうけないということである。労働組合の国家からの自主性確保の面については、現行労働組合法は、労働組合の設立についての認可制ないし届出制を採用することなく、また、労働組合に対する解散命令というようなことも予定していず、一般的にみてこの点については現在のところあまり問題はない。労働組合が使用者に対し自主性を有する団体でなければならぬということは、労働組合が労使の実質的平等を実現するために認められる労働者の団体であることから当然のことである。けだし、実質的にみて使用者に対して自主性のない団体をもそれが形式的に労働者の団体であるということで一律にこれを労働組合と認めたのでは、かえつて、労働者の利益を侵害することになるからである。

いかなる場合に自主性ありといえるかは結局は具体的に判定するほかはないことである。ただ、一般的にいうならば、「量的」にみて労働者の団体たる実質を有する統一的組織体は、一応「質的」にも労働者の自主的団体であると認めうるのが常態であるというべく、それを否定せしめるような特殊の事情が存在するときに、いわば例外的にその自主性の有無が問題とされうることになる。例えば、組合役員に労働者でない者が若干いるということで当然にその労働組合が自主性を欠くと判断すべきものではない。しかし、使用者側ともいうべき者の多数が参加し而もそれが組合役員の大半を占めているような場合には、自主性なく、労働組合と認むべきではない。つぎに掲げる判例は、職員組合につき、それを労働組合法第二条第一号に該当するか否かの見地から考察している点は妥当ではないが、自主性なきものとして労働組合たることを否定している結論は妥当である。

【5】「右職員組合は、経営補助者を組合員とししかもこれらのものが、組合役員の大半（現在では、十名中、九名）を占め、且つ、これらの役員によつて、組合の業務が運営され、組合活動が行われていることにかんがみれば、右職員組合は、これを「労働者の自主的な団体」（労働組合）であるということはできない、であろう。（経営補助者が組合員となつているのは、被申請人会社に、中堅層を欠き、これがため、若年者に組合の運営をまかせておくときは、会社と組合との協調に支障をきたすので、この弊害を除去する意図に基くものであることはうかがえるが、その意図はともあれ、このような多数の経営補助者をもつて支配す

る場合には、労働者の団体はその自主性を失わざるを得ないのである。けだし、使用者と相対立する利益を代表する組合だけが自主性を持ち得るものといい得るからである）」（東京地判昭二五・五・八労民集一・二・二三〇）。

(2)　労働組合の使用者に対する自主性の有無は、このように具体的に考察するほかはないことであるが、労働組合法第二条但書は、すでに指摘したように労働組合の消極的条件として、「使用者の利益を代表する者の参加するもの」（同法二条一号）及び「使用者から経理上の援助をうけるもの」（同法二条二号）を定め、このような労働者の団体でないことを要求している。そこで、この労働組合法第二条但書第一号または第二号と第二条本文との関係をどのように理解するかが問題となつている。即ち労働組合法上の労働組合たるには、すでに述べたような意味で実質的にみて自主性を有する労働者の団体であることを以て足るのか、或はさらに労働組合法第二条第一号または第二号にも該当しない労働者の団体であることを要するのかということである。例えば、使用者から経費の援助をうけてはいるが実質的には使用者に対する自主性を保有すると認められている限り、なお、労働組合法上の労働組合といえるのか、或は使用者から経費の援助をうける限り、それが実質的にみて使用者に対して自主性を保有しているか否かを吟味するまでもなく、当然に労働組合法上の労働組合としての資格を否定されるかということである。この点については、労働組合法第二条本文と但書とは一体をなすものであるから、通常の法律解釈としては規定のうえからは後者の立場をとるべきことは、むしろ当然のことであるといわねばならぬ。もとより、使用者の利益を代表する者（いわゆる経営補助者）が参加し或は使用者から経費の援助をうけているにもかかわらず、実質的には労働組合としての自主性を保有している労働者の団体につき労働組合法上の労働組合たる資格を否定することには若干問題の余地がある。しかし、労働組合法の立法趣旨は、使用者から経費の援助をうけつつ而も使用者に対して自主性を保有しえているか否かということは、きわめて判定困難な、従つてまた判定が恣意的になりやすい事実上の問題であること、また、使用者から経費の援助をうけていること自体のうちに自主性喪失の危険を内包しており、好ましい方式ではないことからみて、経費の援助をうけているということ自体のうちに自主性を否定せんとしているものというべく、この点に労働組合法の立場の実質的理由があるともいえよう。それは労働組合に対する使用者の不介入の原則とともに、労働組合の自主的運営を期待するものであり、近代的な労使関係の確立につき当然に要請せらるべき基本精神を表明しているともいえるが、このように労働組合の資格要件とすること、従つてまた、それとの関連において労働組合として享受しうる労働組合法上の諸権利につき、のちにも指摘するように相違を生ずることについては、立法論としては反省の必要がある。しかし、さればといつて、この点に関する配慮から、労働組合法にいわゆる労働組合たるには、労働組合法第二条本文の要件をみたしておればよいとする立場、即ち、たとい同条但書第一号または第二号に該当していても実質的に使用者に対する自主性があればよいとなす立場は、解釈論としては無理ではないかと考える。つぎの二つの判例（なお前掲【5】の判例の考え方も同じ）は、いずれも右の立場をとるものであり、労働組合法上の労働組合についての、考え方としては賛成しえない。しかし、労働組合法にいわゆる労働組合をいかに理解するかということと労働組合法の定める具体的な要件を具備しない労働者の自主的団体が憲法に保障されている労働基本権の保障との関連からどのような法律上の地位におかれるかということとは別に考察する余地があり、その意味では協約能力に関する限り【7】の判例の結論には賛成する。

【6】「本件組合には従来組合員中に人事課長秘書等が加入していたに拘らず現行労働組合法の施行を予定しこれ等の者を組合員から除外し以て組合の自主性を計つたのであるが、其の際人事課長代理等が残存したけれども会社側よりは何等其の除外を要求した事跡なく、而も組合は毫も所謂御用組合となることなく自主的活動をなして居たこと従つて右課長代理等は其の地位名称の如何に拘らず会社に於ける実質的の職責は労働組合法第二条第一号所定の機能をなす者ではなかつたと推測される。ただ、右組合が課長等から月々少しばかりの寄附金を得ていること、組合役員であつた申請人等の一部で給料の支払を失わないで組合大会等に出席していること等を推知し得るけれどもこれを以て本件組合を労働組合法の保護の外にある組合と謂うことは出来ない」(金沢地判昭二五・三・六労民集一・一・六五)。

【7】「労働組合法上協約能力を有する組合は、同法第二条、本文の要件を具備する組合であれば足ると解すべきであるから、右要件を具備する限り同条但書第一、二号に該当するとしても(第三、四号に該当する労働者の団体は当然本文の要件を欠くからこの点は度外視する)このことから直ちにその組合の協約能力を否定すべきではなく、要は同条本文所定の自主性の有無如何によつて決すべきものである。しかして本件組合においては、会計、庶務(人事に関する職務を包含する)を担当する者及び倉庫、資材、調度の事務を担当する者の参加を許して居り(これ等の者が同法第二条第一号所定の監督的地位にある労働者ないし使用者の利益を代表する者と認むべきか否かの判断はしばらく措く)又会社が組合業務専従者の給与を支払つていた等の事実が存するが、右組合が同法第二条本文にいわゆる「労働者が主体となつて自主的に労働条件の維持改善その他経済的地位の向上を図ることを主たる目的として組織する団体」であることは組合の従前の行動に照し極めて明らかであるから、本件組合は協約能力を有することは勿論であり、本件労働協約は有効

に成立したものと認むべきである」(東京地判昭二五・一二・二 三労民集・一五・七七〇)。

二 労働組合の地位

(1) 労働組合が労働組合法などの適用関係においてどのような地位を有するかということは、実定法としての労働組合法において労働組合の要件を法定し、その法定要件をみたすもののみを労働組合として労働組合法上の諸関係を律する限りにおいては、それ自体あまり問題とすることはない。また、労働組合法において予定する特別の保護などをうける要件として、その限りでさらに特別のことを労働組合の資格要件として定めることも可能である。現に労働組合法第五条は、労働組合としての資格審査を労働委員会をして担当せしめ、この資格証明をうけた労働組合に限り不当労働行為の救済などをうけうるものとしている。即ち同条は、労働組合が労働組合法第二条(自主性の要件)及び第五条第二項(組合規約に定むべき事項を法定して、組合の民主化を期待している)に適合することの証明を要求し、この資格証明がえられない限り「この法律に規定する手続に参与する資格を有せず、且つこの法律に規定する救済を与えられない」としている。右にいわゆる「手続参加」としては労働委員会の委員推薦手続への参加を意味し、「救済」としては不当労働行為の救済を意味するものと解されているが、労働委員会の委員推薦を手続参加と解することは疑問である(石井・労働法一〇六頁、石井「労働組合の資格と労働法の適用」法学協会雑誌六七巻六号一五頁以下参照)。実際上の取扱においては、従来労働委員会の委員推薦にも資格証明を要するとされているが、例えば多数の単位組合から成る連合体たる労働組合の資格審査などについては、実質的にみて労働組合法の要求する資格審査の実効性につき反省の材料を提供している。けだし、労働組合法にいわゆる労働組合としての連合体は、労働組合法第二条にいわゆる「……その連合団体をいう」とあることからみて、労働組合法第二条の要件を充足する労働組合の連合団体であることを要するものと解すべく、従って連合体たる労働組合の資格審査としては、連合体自体のほか、その単位労働組合の全部につき資格審査がなされなければならぬはずであるが、実際上それはほとんど不可能にちかく、また、そのことに無用に永い期間と手続とを要することに鑑み、若干の単位組合につき資格審査を、いわば「抜取り検査的に」行つているにすぎない実状だからである。

(2)　このように労働組合法第五条の予定する資格証明は、不当労働行為の救済などをうけることにつき要求されるにすぎないものであるから、この第五条の要件を欠く労働者の団体であつても、すでに述べた労働組合法第二条の要件をみたすものである限り、憲法の保障する労働三権、即ち団結権・団体交渉権及び争議権を有することは当然のことであり、また、それは労働組合法上の労働組合として正当な争議行為について民事上・刑事上の免責をうけること(労組法一条二項・八条)はもとより、労働協約能力を有し、また、労働協約の一般的拘束力その他労働組合法が予定する諸利益を享受しうることは当然のことである。つぎの判例は、右のような資格証明をへなければ「労働関係調整法に規定する手続」にも参加する資格がないとされていた当時の判例(昭和二七年改正前)ではあるが、その趣旨とするところは前述のところと変らない(石井=萩沢・判例労働法二四八頁以下参照)。

【8】　「日本国憲法は労働者に対して団結権団体交渉権その他の団体行動をする権利を、侵すことのでき

ない基本的人権として保障している。……このような奪うことのできない労働者の権利とは、労働組合法に規定された要件を備えた労働組合にのみ与えられたものではなく、その要件を備えていない非自主的組合（労働組合法第二条の要件を欠く組合）や、非民主的組合（同法第五条第二項の要件を欠く場合）や、更には又未組織の労働者の団体にもひとしく与えられている権利であるといわねばならない。労使対等の立場の促進ということは、憲法が労働者に右の諸権利を保障していることの根本精神であつて、この根本精神から考えるときは、団結権や団体交渉権、殊に正当な範囲の争議権は一応はすべての労働者に対してひとしく与えられるべきものである。労働組合法によつて労働組合たる資格がどのように定められようとも、そのことから、憲法上の保障を、憲法上の保障の内に当然含まれていると考えられる制限を超えて制限し若しくは否定することはできない。

労働組合法第五条第一項本文が「労働組合は、労働委員会に証拠を提出して第二条及び第二項の規定に適合することを立証しなければ、この法律及び労働関係調整法に規定する手続に参与する資格を有せず、且つこれらの法律に規定する救済を与えられない。」と定めているのは、このような立証を経ない労働組合は同法等の定める不当労働行為若しくは調停等の手続に労働組合としては参加する資格がなく又労働組合法第二十七条の定める労働委員会の命令による救済手続を受け得ないというにとどまり、これらの点を除けば、その他の関係、例えば協約締結、団体交渉、正当な争議行為による民事刑事の免責等に付ては、立証を経ない労働組合も同じ取扱いを受けるものと解すべきであり、このことは前示憲法の規定の趣旨からいつても当然であるといわねばならない」（秋田地判昭二五・九・五 労民集一・五・六八三）。

(3)　つぎに問題となるのは、労働組合法第二条本文の要件をみたしてはいるが、同条但書第一号または第二号に該当することから、結局労働組合法上の労働組合とは認められない労働者の団体の法律上の地位である。すでに指摘したように、このような労働者の団体をも労働組合法上の労働組合として認める若干の判例があるけれども、これを労働組合法上の労働組合とは認めない立場のもとにおいては、憲法において勤労者に団結権・団体交渉権及び争議権を保障していることとの関連から、これらの労働基本権がかかる労働者の団体につきどのように認めらるべきかが問題となる。けだし、実定法としての労働組合法が同法の適用関係につき労働組合の要件をどのように定めるにしろ、そのことのゆえを以て憲法が勤労者に保障している団結権その他の労働基本権を不当に侵害することは許さるべきことではないからである。憲法における団結権等の保障は、すでに述べたように歴史的・社会的な実在としての労働者の団体としての労働組合の概念を前提とするものであり、そしてそれは正に労働組合法第二条本文のうちに労働組合の本質的概念として表明されているとみるべきである。従つて労働組合法第二条本文の要件をみたす労働者の団体は、たとい労働組合法第二条第一号または第二号に該当することから、労働組合法上の労働組合とはいえないとしても、そのことのゆえに憲法が労働者の団体に保障する諸利益、即ち正当な争議行為についての民事上・刑事上の免責を失うべきではなく、また、労使の実質的平等の保障のもとに期待される団体交渉、従つてまた、そのいわば結晶としての労働協約の締結能力、従つてまた、労働協約の本来的効力たる規範的効力などを否定さるべきではない。この意味では労働組合法第一条第二項（刑事上の免責）及び第八条（民事上の免責）の規定は、労働組合法に定める労働組合たるの要件をみたす労働者の団体につき、とくに刑事上・民事上の免責を「創設」したものと解すべきではなく、憲法における労働基本権保障の当然の帰結を「確認的」に規定したにすぎないものと解すべきである。前掲【8】の判例も基本的には、このような考え方をとるものであり、また、前掲【7】の判例は協約能力を肯定する点においては同じ結論を示すものといえる。これに対し、つぎの判例は「労働組合の資格審査基準について」の労働次官通牒と組合の専従職員に対する給料の支払を約定した労働協約の効力との関係に関連し、傍論としてではあるが、協約能力などを否定するかのような表現をしている。

【9】「被控訴会社は右通牒通達等の趣旨に則つて三月分以降の専従者に対する援助を廃止したものでこれは会社が廃止の申入を行つた以上協約改訂等の具体的手続をすることを要しないと主張するけれども右通牒通達の趣旨は前記のような事実のある組合は、自主的な労働組合とはいえないので現下の社会経済事情に鑑み一定の猶予期間を置きその間に組合は使用者に対し自発的にかかる給与を辞退するか又は労使双方の協定によつてかかる給与を廃止すべきことを指示勧告するにあつて、相当の期間を経過するもなお依然としてかかる給与を受くることを廃止しない組合は、労働組合法に準拠する労働組合たる資格を否認され、従つてこれに基く団体交渉権労働協約締結権争議権等法律によつて認められ保障されている一切の権利も亦これを保有し得なくなるという趣旨であつて直ちにかかる協約自体を無効とするものではない……」(福岡高判昭二五・四・一二労民集一・二・一四一)。

ただ、このように労働組合法第二条本文の要件をみたす労働組合である限り協約能力を肯定しうるにしても、そのような労働組合が労働組合法第二条但書第一号または第二号に該当するものである場合には、すでに指摘したように、それは労働組合法にいわゆる労働組合とはいえないから、労働組合法が労働協約に対し政策的に附与した諸効力(一般的拘束力等)を定める規定(労組法一七条・一八条等)は、これらの労働組合には適用がないと解すべきである(石井=萩沢・判例労働法四八八頁以下参照)。けだし、憲法における労働三権保障の当然の帰結ではなくして、実定労働組合法が特別に定めたと認められる事項については、その適用が労働組合法にいわゆる労働組合に限定されることは、むしろ当然のことだからである。

(4)　なお、労働組合法に定める不当労働行為の救済との関係において、同法第七条第一号にいわゆる「労働組合の正当な行為をなしたことの故を以て」における「労働組合」の意義が問題となる。この点については、使用者の利益代表者の参加を許す労働組合、つまり第二条第一号に該当する労働組合であつても実質的に自主性があれば、第二条本文に該当するから労働組合法上の労働組合であるという立場のもとに、このような組合についても不当労働行為が成立しうるとなす判例がある。

【10】「被申請会社は、組合が改正労組法第二条但書第一号に該当する使用者の利益代表者の参加を許す労働組合であるから、同法第七条の不当労働行為は成立する余地がないと主張するけれども、同法第七条にいわゆる労働組合とは同法第二条本文にいう労働組合で足りるから、右主張はそれ自体失当であつて、採用できない」(仙台地判昭二五・五・二二(労民集一・三・三・九一))。

この判例については、不当労働行為の成立を認めた結論は妥当であるが、労働組合法第二条本文の要件をみたすだけで、同法にいわゆる労働組合であるという点では、前掲【5】【6】【7】の判例とその立場を一にするものであり、賛成しえない。憲法が労働者に団結権その他の労働基本権を保障していることの当然の帰結としてこれを不当に侵害する使用者の行為が違法とされ、従つてそのような違法行為につき労働者に損害賠償請求権を成立せしめ、或は違法行為(例えば解雇)を無効とすることは解釈論としても認めうるところというべく、而もこのようなことは労働者が自主性を有する労働者の団体、換言すれば労働組合法第二条本文の要件をみたす労働組合の構成員として、その労働組合の正当な行為についても保障されていることである。のみならず、例えば不当労働行為に基く解雇の無効を裁判所において主張するという関係としては、労働者の団体は労働組合といつたような統一的組織体である必要はなく、一時的な労働者の団体、即ち争議団であつてもよく、争議団としてなした正当な行為に対する使用者の侵害行為も違法(解雇としては無効)であることには変りはないのである。この点は前掲の判例【8】が正しく指摘するところである。ただ、労働組合法第七条が定める不当労働行為として原状回復の救済を労働委員会にも求めることができるということは、憲法が予定する以上の特別の救済であるから、この限りにおいては、同条にいわゆる「労働組合の正当な行為」における労働組合を労働組合法上の労働組合(同法第二条本文に該当し而も同条但書第一・二号に該当しないもの)に限ると解する余地もある。しかし、労働組合法第五条の資格証明をえない労働組合は、労働組合として不当労働行為の救済を求めえないということと、労働組合の正当な行為をしたことの故を以て労働者に不利益な取扱をしてはならないということと、従つて、その場合につき解雇その他の不利益取扱をうけた各個の労働者の救済を予定するということにつき、「労働組合」の正当な行為をどのように考えるかということは必ずしも当然に一致せしめねばならぬことではない。むしろ、憲法における団結権その他の労働基本権を労働者に対して保障していることの裏づけ措置としての不当労働行為の制度としては、各個の労働者の保護としては、自主的な労働団体としての活動である限り、労働組合たると争議団たるとを問わず、等しく保護を与うべきである。このように考察するとき、労働組合法第七条を労働委員会による救済を与えるに当つての条件とのみ考えるか或は裁判所による救済をも含めての統一的な条件とみるか、いずれの立場をとるにせよ、同条にいわゆる「労働組合の正当な行為」を考えるに当つての「労働組合」の意義は、労働組合法第二条本文の要件をみたす労働組合はもとより、争議団をも含むものとして、これを広く「労働団体」の正当な行為と解すべきである（石井・労働法一七七頁、石井＝萩沢・判例労働法五七二頁参照）。つぎに掲げる判例【11】は、法外組合の組合員についても不当労働行為が成立しうるものとしている点では、労働組合法上の労働組合の概念と労働組合法第七条第一号における「労働組合の正当な行為」についての労働組合の概念とを区別して考えておるものとして、前掲【10】の判例と若干立場を異にしていることを注目すべきである。

【11】「法外組合（労働組合法第二条本文には該当するが同条但書第一号及び第二号の要件を欠く組合）の組合員についても不当労働行為は成立する。……同法第七条第一号の不当労働行為が成立するには右の如き労働組合であれば十分であることは、同法第五条第一項但書からも理解されるところである」（東京地判昭二五・一・三〇労民集一・一・一三）。

いずれにせよ、労働組合法第二条本文の要件をみたさない労働者の団体は、労働組合法における労働組合でないことはもとより、自主的な労働者の団体としての実質を欠くものとして実質的にも労働組合とは認むべきではない。従つてこのような労働者の団体には「団体として」の統制力を法律上認めえず、従つて協約能力もなく、また、労働組合法第七条にいわゆる「労働組合の正当な行為」における労働組合にも含まれない。この場合、このような御用組合の内部において行われた個々の労働者の自主的な組合活動につき不当労働行為の救済が与えられるかが問題となる。このような自主性のない労働者の団体については、前述のように「法律上」は労働組合ないし労働者の団体としての統制力を承認する余地がない。従つて、このような団体のうちにあつて、このような団体を自主化しようとしてなされた労働者の組合活動は、結局は自主的な労働組合を結成しようとしているものとして労働組合法（の予定する）不当労働行為の救済を認むべきであると考える（なお、石井＝萩沢・判例労働法五七二頁以下参照）。つぎに掲げる判例は、労働組合法第七条第一号の規定は、「特定の」「労働組合」を保護せんとするにとどまらず、広く正常な労働運動を保護せんとするものであるとの理由のもとに同様の結論を示している。

【12】「一、本件解雇が被申請人主張のように、被申請人会社の経営上やむを得ずなされた冗員整理に際し、行われたものであることは認められるが、申請人の解雇事由に付いてみると、

(イ) 申請人には、やや勝気なところが認められるが、同僚との折合が悪く、これがため、被申請人会社の事務能率を阻害するという事実は認められない。

(ロ) 申請人は、原簿課カード係主任として相当の業績を挙げており、その業務成績が他よりも劣るということは認められない。被申請人は、その他、家庭の事情（両親健在し、菓子、果実、販売業をいとなんでいること。）特殊技能を有していること（元タイピスト）、女子事務員としては高給で退職金も比較的多く、将来更生しやすい等の諸点を考慮したというが、これらは解雇を正当化する事由とはいえないから、結局本件解雇は、正当な事由に基かない解雇である、ということができる（この点は、更に後に述べる。）

二、他方、申請人は、被申請人会社の内勤職員を以て組織せられた東京生命内勤職員組合員であつて、昭和二十二年二月各課単位の代議員に選出されて以来、支部幹事、又は委員等に選出せられ、給与改訂、生理休暇の要求等に関し、組合活動を行つたがとりわけ、右職員組合は、その組合員に課長支社長を含み、しかも、それらの経営補助者が、組合役員のほとんど全部を占めていることにかんがみ、改正労働組合法の施

行を契機に、これらの経営補助者を除外して、組合を結成しようとする運動に参加していた、ことが認められる。

三、加うるに、過去においても、比較的活潑な組合活動をしたものを解雇したり、他に転勤せしめたりしたと疑われる事例、（たとえば、昭和二十二年一月の岩永他五名の解雇、昭和二十四年八月の大村欣の解雇等）も認められるので、これらの事実を綜合すると申請人の本件解雇は、申請人が前記のような組合活動を理由とするものであることが一応肯定できる。

四、もつとも、右職員組合は、経営補助者を組合員とししかもこれらのものが、組合役員の大半（現在では十名中、九名）を占め、且つ、これらの役員によつて、組合の業務が運営され、組合活動が行われていることにかんがみれば、右職員組合は、これを「労働者の自主的な団体」（労働組合）であるということはできないであろう。

（経営補助者が組合員となつているのは、被申請人会社に、中堅層を欠き、これがため、若年者に組合の運営をまかせておくときは、会社と組合との協調に支障をきたすので、この弊害を除去する意図に基くものであることは、うかがえるが、その意図はともあれ、このような多数の経営補助者をもつて支配する場合には、労働者の団体は、その自主性を失わざるを得ないのである。

けだし、使用者と相対立する利益を代表する組合だけが自主性を持ち得るものといい得るからである。）

かく解すると、本件解雇が不当労働行為とならないようにも考えられるが、申請人の前記組合活動は、抽象的にみて自主性のある組合において通常行われる組合活動もしくは、自主性のある組合を結成しようとして行われた行為であるということができるから、これを理由とする解雇は、不当労働行為として無効であるということができる。

なぜならば、労働組合法第七条第一号は、「労働組合」の正当な行為をしたことを理由に差別待遇することを禁止して「特定の」「労働組合」を保護するのみにとどまらず、ひろく、正常な労働運動を使用者の悪意から保護する目的を以て、その労働運動に参加した労働者を保護しようとするものだからである」（東京地判昭二五・五・八労民集一・二・三二）。

三　労働組合の態様

(1)　労働組合の態様には、まず、特定の企業に使用されている労働者がその企業単位にあらゆる職種の労働者を包含して、いわば縦断的に結成する企業別労働組合と特定の職種に属する労働者（例えば旋盤工）が各企業を通じ、いわば横断的に結成する職種別労働組合とがある。諸外国では熟練工の組合として職種別労働組合を常態とするが、わが国では企業別労働組合を根幹としている。このような企業別労働組合を構成員として上部団体たる連合体が結成されていることも少なくなく、この場合には構成員たる単位労働組合及び連合体ともに、それ自体独立の労働組合である（労組法二条参照）。これに反し、同種の産業に属する企業に使用されている労働者が直接に全国的ないし特定の地区にわたる単一労働組合（産業別労働組合）に加入しているような場合において、各企業単位に支部または分会と称するものを設けているとき、この支部または分会がそれ自体労働組合としての性格を有するか或は単一組合とその運命をともにする一構成分子にすぎないかは、具体的に検討を要することである。つぎに掲げる最高裁判例は単一組合の「一構成分子にすぎない支部」につき独自の労働組合としての存在を否定している。この判例は当該支部は単一組合の一構成分子にすぎないという原審の事実認定のうえに立つての所論であり、支部が独立して団体交渉権をもつものではなく、従つてまた、その支部が締結したとされる労働協約も単一組合が会社と締結した労働協約に基いてできたもの、即ち下部協定にすぎないとの事実判断を前提とするものであるから、この判例により一般的に単一組合における支部の法律上の性格が決定されたものと解する必要はない。

【13】「所論団体協約甲号及びその附属覚書甲号は、その協約一方の当事者である日本新聞通信放送労働組合が既に解散消滅に帰した以上、他に特段の事由の存在を認め難い本件においては右労働協約甲号及びその附属覚書甲号が失効することは当然であり、又右組合朝日支部は右単一組合の一構成分子に過ぎないものである以上、支部は単一組合とその運命を共にすべく、従つて労働協約乙号及びその附属覚書乙号が右甲号協約とその運命を共にするものと認めるを相当とする。次に朝日支部が独立して提訴又は団体交渉権を持つていたとの事実は原審の認定していないところであるから、右事実を前提とする所論は理由はない。そして朝日支部が独立した組合であるとの事実は前記の如く原審の認定しないところであり、所論はこの点に関する原審の釈明権不行使の不当を鳴らすけれども、かくの如き事実は当事者自ら主張すべき事項であつて裁判所に所論のような義務あるものではない。」(最判昭二七・一〇・二二民集六・九・八五七)。

ただ、右の最高裁判例が前提とするような事実判断が妥当であつたか否かは若干疑問の余地がある。結局単一組合の支部がそれ自体独立の労働組合としての法的性格を有するか否かは支部が独立の組合規約（形式としては、一通の書面に記載されていてもよいが）を有するか、ある程度独立の会計処理をなしているか、その他独自の活動をなしうべき社団的組織体としての実体を有し、また、現にそのような組織体として活動しているかを具体的に検討して決定すべきことである(石井＝萩沢・判例労働法二四五頁・四九〇頁以下参照)。なお、企業別労働組合を結成している労働者が個人加入の形式で産業別労働組合（単一組合）を結成した場合においても、前者を単一組合の支部ないし分会と呼ぶこともあるが、この場合には、まず、産業別労働組合を結成し然るのちに必要に応じ、各地域または企業別に支部ないし分会を設ける場合に比し、その労働組合としての独自性がはっきりしていることが多いといえよう。

いずれにせよ、このように単一組合の支部ないし分会といわれるもののうちにも独自の労働組合と認めらるべきものがあることは肯定しなければならないが、このような支部または分会が労働組合として独立にどのような範囲において団体交渉の当事者となりうるかが、つぎに問題となる。この点については、原則として単一組合が全般的に団体交渉の当事者たることは明白であるが、特定の地域または特定の企業に特有な事項、換言すればその性質上当然に統一的処理を要するような事項でないことについては、単一組合における統制をみださない範囲において各支部ないし分会にも団体交渉の当事者としての資格を認むべきであり、従つてその限りで各支部ないし分会は団体行動権をも保有すると解すべきである。ただし、実際上は、このような場合にも争議権の行使については単一組合の統制のもとにおくのが常態である。このような場合に支部ないし分会がその特有の団交事項について団交し、その要求を実現するため単一組合の争議統制に反して争議行為をなしたとしても、それは組合内部における統制違反のスト(unoffiical strike)たるにとどまり、そのような争議行為を以て「山猫スト」(wild cat strike)として、対使用者関係においても違法なストと解することは妥当ではない。けだし、この場合は本来団体交渉の当事者たる資格を保有し、従つてその限り団体行動権を行使しうる労働組合の活動に関するものであつて、純然たる一つの労働組合の内部において本来団体交渉をなしうる地位にない個別的な組合員が恣意的に要求事項を掲げて争議行為をなしているのとは、その性格を異にするからである。なお、このように支部ないし分会が特定の事項につき独立に団体交渉の当事者たる資格を有するということと、単一組合から団体交渉の委任をうけて団体交渉の担当者となることとは別箇のことであることを注目すべきである（石井・労働法一一一頁以下参照）。即ち支部ないし分会が当該支部ないし分会に特有な事項についての団体交渉を単一組合（具体的には、その役員）に委任し、或は逆に単一組合が、全国的事項をとくに特定の支部ないし分会（具体的には、その役員）に委任するということは、特別の委任があれば自由になしうることである（労組法六条参照）。

つぎに掲ぎる判例のうち【14】【15】は、単一組合の支部も独自の労働組合として認めらるべき場合があることを明らかにするとともに、その独自の活動の範囲を中央本部の統制との関係において明らかにしており、【16】は、このような独立の労働組合としての性格を有する支部は上級単一組合の解散によつて当然にその存在に影響をうけるものではないことを示しており、さらに、【17】はかかる支部が労働協約締結の能力があることを説いている。

【14】「全日通労働組合の如く全国的な組織を持ち大きな下部機構を有している労働者の団体（その組織機構が申請人主張の如きものであることは両当事者間に争がない。）にあつては、それが全体として一個の統一した組織を持ち、全体として団結し団体交渉し団体行動をする権利を有することは当然であるが、他方それが全国的単一組織体であることだけの故を以て、その下部機構たる労働者団体の各々に付ては何等の独立した権利がないものであるということは必ずしもできないであろう。労働者が使用者に対して要求し交渉

する事項中には、全日通労働組合の如き全国的な団体にあつては、全国的な要求事項として全組合員に利害関係のある事項ばかりでなく、地域的な要求事項として或る一地域内の組合員のみに関係のある事項もあり得ることは当然である。そうしてそのような地域的な要求事項であつて他地域の組合員とは無関係に処理し得るものに付てはその地域内の労働者団体は他地域の団体や全国的な組合全体とは一応無関係に団体交渉をし団体行動をすることができると解すべきであり、全国的に統一された単一組合の下部組織であつても独自の組合規約を有し独自の活動をなしている独自の社会的組織体と認められるものである以上、右に述べた制限内に於て独自の団体交渉等をなし得るものといわねばならない。唯、右の如き独自の権限も、それが全国的に統一された組織体の下部機関の権限である以上、全体の意思に明かに反し、中央本部の統制をみだすような行動までを含むものでないことは当然であり、下部組織のなし得る独自の活動はこの範囲内で許されると解するのを相当とする」（秋田地判昭二五・九・五 労民集一・五・六八三）。

【15】「全日通のように全国的な団体にあつては、独り全組合員にのみ利害関係のある事項ばかりではなく、或る一地域内の組合とについてのみ利害関係のある事項の存在することも亦容易に推測されるところであり、後者の事項については必ず上部単一組合だけが団体交渉乃至団体行動をする権利があり、下部組織体にはその権利は存在しないということができないのは当然の理である。この難点に立てば新潟地区、秋田支部及び秋田分会と雖も前示の事項については独自の組合規約を有し、独自の活動をなし得る組織体ということができるが、それはあくまで前示特定事項に限定され、それ以外の事項については全日通の統制に服さなければならないのも亦論理の教えるところである」（秋田地判昭二六・六・一一 労民集二・二・一一三）

【16】「労働組合が各会社または工場毎に結成され、ある地区におけるこれら同種産業の各労働組合が一つの上級単一組合を組織し、さらに右地区のこれら単一組合が全国的に単一組合を組織している場合において、各地区毎の単一組合を支部と称し、各会社または工場毎の単位組合と称する事例はしばしば見受けられるところであるが、このような場合においても右の各支部または各分会がそれぞれ労働組合法第七条所定の

独自の組合規約を有し、独自の活動をなし得べき社団的組織団体をなしている以上、それぞれ独立の労働組合に外ならないのであつて、即ち右各支部はそれぞれ傘下各分会に対し労働組合法第二条にいわゆる連合団体たる地位を有し、全国的単一組合は傘下各支部の連合団体たる地位を有するものと解するのが相当である。そして右各下部組織たる組合もそれが独立の活動体である以上、上級連合団体が解散（法人格を有しない労働組合にあつては、厳密にいえば解散という言葉は法律上の用語として妥当でないけれども、ここには社団を解消させる行為という程の意味において用いる、以下これと同じ）することありとしても、これとともに当然に解散すべきことが特に下級組合の規約上定められている場合は格別、そうでないかぎり上級連合団体の解散によつて、その存立に何らの影響をも受けるものでないことは当然である。被申請人会社は前記金属労組の結成に際し、昭和二十三年十月十日機器労組は解散し、したがつてその下部組織たる機器分会も当然解消したと主張するけれども、機器労組が単純に解散したのではなく他の組合と合同して金属労組を結成したものであることは前記の認定のとおりである、その場合あたかも会社の合併の場合に旧会社が解散すると同様の意味において解散に準ずべきものもありというにあるならば、その主張はあえて失当というに当らないが、機器分会が本部規約及び支部規約と別個に独自の規約を有し、独立の組織たる労働組合であることは前述の如くであり、前掲甲第一号証中機器分会の規約を検討しても、上級組合の解散により分会が当然に解消する趣旨の規定は見当らないし、目的、会計その他細部事項につき本部規約即ち機器労組の規約を採用している部分は存するけれどもいずれも解散につき分会独自の行為をまたず当然に運命をともにする趣旨とは到底解し得ないのである。してみれば、機器分会が解散をしたというような事実の認められない本件にあつては、同組合の実体即ち被申請人会社の従業員を以て組織せられる労働組合たる実質は金属労組の結成後も何らの変更なく、依然として存続し、名称を全日本金属労働組合豊和分会と改めたのは単なる上級団体、転属に伴う名称の変更に過ぎないものといわねばならない」（名古屋地判昭二三・一二・日付不明、労判集二・一六二）。

【17】「被告人及び弁護人等はいずれも本件分会はその文字の示すように独立した単位組合ではなく、機器という単一組合の機関に過ぎないから当事者能力がないものであると主張するけれども、分会と呼称するからといつて直ちにそれが単なる機関であつて協約能力すなわち協約法上の権利能力、当事者能力がないものであるとは断じ得ないのであつて、これを本件分会についてみるに、第十三回公判調書中証人加藤泰正の供述として「当分会は単独で、機器準備会ができた時これに加入するかしないかの決を採つた時に全員の意見が不一致だつたが納得づくで加入したから単位組合と思う、なお今まで問題を解決して来たのも会社と分会だけの間で全部解決して来た旨の記載、及び第五回公判調書中証人安東義雄の供述として、自分は全日本機器新潟支部常任執行委員、同中央執行委員であるが、本件小千谷工場の争議の主体は全日本機器労働組合理研小千谷工場分会で他のものは応援協力しているに過ぎない。従つて全日本機器労働組合は本件争議をやつているのではない旨の記載、ならびに本件分会は独立した規約を設け、この規約によれば一定の事業目的をもち、必要な役員の数や種類を定め、会議その他組合の構成と運営に関し詳細な定めをなし、立派な一箇の社団的な組織体をなしており、当事者能力を有する実質的形態を備えているのであつて立派な一個の独立した単位組合と謂わなければならない。右の事実は本件分会が冒頭掲記のように当初理研工業株式会社小千谷工場従業員組合として完全な自主的組合として発足し、その後全従業員が機器に個人加入した関係上昭和二十一年十月四日現在の名称に変更したに過ぎないものであつてその実態には何等の変更を認められない事実に徴しても明かである」（新潟地長岡支判昭二四・二・一刑資二六・九二）

(2) 連合体とそれを構成する単位組合とは、すでに述べたように、それぞれ独立の労働組合たる資格を有するものではあるが、前述の単一組合と支部ないし分会のときと異り、単位労働組合自体が直接連合体たる労働組合の構成員として、それ自体連合体の統制力のもとにあることから（単一組合のときは単位企業に属する労働者は直接に単一組合の構成員となつているが、これらの労働者によつて結成されている支部ないし分会自体は直接に単一組合の構成員とはなつていない)、この構成員たる単位労働組合の法的地位が問題となる。連合体は全国的或は特定の地域的な上部団体として結成されるものであるから、全国的或は地域的に共通な一般的事項については、連合体が団体交渉の当事者であることは疑ないが、つぎの判例【18】は、この点につき若干曖昧な態度を示している。

【18】「元来当該労働組合に団体交渉権のある事項についてはそれがその労働組合に特殊の問題でない限りその上部団体も当該労働組合からの委任の有無を問わず団体交渉権を有すること明かであるが右労働協約、職場再編成の案件が上部団体の干与を許さない問題でないことは明らかであるから、原告会社は右県労地区労とも団体交渉をなすべきであること勿論である」(宇都宮地判昭三三・二・二五労民集九・一・五五)。

右の判例は、単位組合に団体交渉権がある事項については、それが単位労働組合に特殊な事項でない限り、その上部団体にも当然に団体交渉権があるとしているが、単位労働組合に特殊でない一般的事項である限り(本件では労働協約や職場再編成がとりあげられている)、むしろ団体交渉権は連合体にあるのが当然であり、判旨のように連合体と並んで単位労働組合にも当然に団体交渉権があるとするような説示は適切でない。連合体の結成に当り、一般的な事項のうち特定の事項に限つて単位労働組合にも団体交渉権を認めて団体交渉の当事者たる資格を保留せしめるということは不可能ではないと思うが、このような場合においても、それが各企業などに共通な一般的事項である以上、それについての連合体の団体交渉権を奪うものではなく、むしろ、連合体の統制のもとに単位労働組合にも団体交渉権が保留されている趣旨と解すべきではないかと考える。

つぎに、連合体が結成された場合、ある特定の企業に特有な事項については、連合体と単位組合とそのいずれが団体交渉の当事者であるかが問題となる。この点は単位組合が連合体を結成するに当り連合体の組合規約を以て、いずれとも定めうることであり、むしろ、いずれかであるかを明定すべきことであるとすらいえる。しかし、わが国の実際ではこれを組合規約に明定していないのが常態ともいうべく、この場合の取扱が問題となる。このような場合には、無条件に連合体を結成し、または連合体に加入していることから、特定企業に特有な事項についても団体交渉の当事者たる資格は連合体一本に統合されたものと解すべきか或は特定企業に特有な事項については依然として単位労働組合に団体交渉の当事者たる資格が保有されていると解するかのいずれかであるが、直接この点を解明した判例はない。前掲【18】の判例は、単位労働組合に特殊でない事項についての団体交渉権に関するものであつて、単位労働組合に特殊な事項についての団体交渉権の所在に直接ふれるものではないが、その立言からみて単位労働組合に特殊な事項に関しては連合体には団体交渉権がないという考え方とも察知しうる。

この点に関する考え方としては、わが国におけるような企業別労働組合を単位とする連合体にあつては、できるだけ各企業別労働組合に、その本来の団体交渉権はこれを保留せしめることが実情に適応するともいえるが、法律的には、単位組合といえども一構成員として連合体に加入するものである以上、その単位労働組合自体の意思が連合体の統制のもとにおかれることから、単位労働組合に特有の事項であつても、連合体への加入に当り、それについての団体交渉権を単位労働組合に保留しておかない限り、それに関する団体交渉権は連合体一本に統合されると解すべきではないかと考える。ただ、この点は、組合規約のうちに、その関係が明確にされていない場合において、連合体を結成しまたは連合体に加入する単位労働組合の意思解釈の問題ともいえるから、わが国における現実の労働慣行のうちに、単位労働組合の合理的意識がいずれにあるかを判定すべきである。そして、この場合単位労働組合に特殊な事項についての団体交渉権が単位労働組合にのみ保留されているときは別として、これを単位労働組合に保留するとともに連合体にも団体交渉権を認めているようなときには、法律的には、企業別労働組合に特殊な事項についての団体交渉権は両者に全く対等に併存するのではなくして、単位労働組合の団体交渉権は連合体の統制のもとに、その限りで保留されているものと解すべきではないかと考える。いずれにせよ、以上のことは団体交渉権の所在、即ち団体交渉の当事者たる資格が連合体と単位労働組合のいずれにあるかの問題であつて、団体交渉の担当者の問題に関するものではないことを注目すべきである。現実の団体交渉をいずれが担当するかということについては、単一組合と支部との関係についても一言したように、団体交渉の委任の有無によつて（団体交渉の当事者は当然に団体交渉をなしうるが）判断すべきことである。

四　労働組合への加入脱退

(1)　労働者は憲法第二八条により団結権を保障されており、どのように団結するかの自由（積極的団結権）を有する。そして、このような労働者の団結、即ち労働組合の組織の法的規準を定めるものは組合規約であるが（事実上の活動を指導し、従つて実質的に当該組合を性格づけるものとしては綱領などある）、この組合規約に対する法の要請としては、労働組合法第五条第二項が資格審査との関連において組合規約に定めらるべき若干の事項を法定しているにすぎない。従つて、このような規約事項を現実に組合規約に定めていなくても、すでに述べたように労働組合法上の労働組合たることには変りはないから、労働組合一般に対しては特別の法的要請はないといつてよい。つぎに、資格証明をえようとする場合には右の組合規約要件をみたすことが必要であるが、この場合においても、労働組合法は「何人もいかなる場合においても、人種・宗教・性別・門地または身分によつて組合員たる資格を奪われない」ことを組合規約のうちに定めておれば足るとしている（労組法五条二項四号）。この規定は人種・宗教等を理由として組合員たる「資格を奪われること」に対する制約を予定せんとするものというべく、組合員が「組合のすべての問題に参与する権利及び均等の取扱をうける権利を有する」旨の組合規約の定（労組法五条二項三号）と相俟つて労働組合の内部における組合員の地位を適正に確保せしめんとする法の配慮である。「資格を奪われる」ということは、社団における現象としては、社団の構成員たる組合員の具体的な意思によるものとしては「除名」という方法があり、法定の事由または組合員の一般的意思の表現としての組合規約所定事由ある場合における組合員資格の当然の喪失（当然脱退）という方法も考えうる。しかし、現実には、右のような組合員の法定脱退事由は労働法規のうちには定められていないし（商法八五条対照）、また、そのような組合内部の構成事項に法律が介入することも妥当ではない。そこで組合規約において自主的に右のような組合員の当然脱退ということを定める場合が問題となる。これは例えば「組合費の未納」といったような、その事実の有無の判定に困難を伴わないような事由を理由とする場合には「その支払を何回怠つたとき」とか或は「その支払請求をうけて遅滞が何月に及んだとき」、ということを理由として当然の脱退ということを定めることは法技術的には可能であり、また、現にそのような事例もある。ただ、労働組合のように構成員の多い団体では、その構成員の出入を明確にする必要もあり、また、組合費徴収確保の要請の見地から（組合員は組合を脱退しても、すでに支払うべかりし組合費納入の義務を負れえないが）、組合費未納の場合をも除名事由とする例が少なくない。

いずれにせよ、労働組合法の定める規約要件は組合内部における組合員の地位を定めるにすぎないものであつて、それ自体としては未だ組合に加入していない労働者、例えば組合に加入せんとしている労働者の取扱を定めることを要求しているものではないことを注目すべきである。組合規約のうちに、例えば「何人も、いかなる場合においても、人種・宗教・性別・門地または身分によつて組合員たることを否定されることはない」と規定し、かりに、その意味が組合への加入についても差別取扱をしない趣旨であつたにしても、この組合規定を理由に労働者は当該組合への加入を法律上要求しうるものではなく、組合への加入を不当に拒否した組合幹部につき組合規約に違反して組合事務を運営したことに関し組合内部において責任問題を生じうるにすぎない。けだし、組合の規範たる組合規約は組合の構成員でない第三者を拘束しえないことはもとより、直接第三者に権利を与えうるものではないからである。このように考察するとき、労働者はどのような労働組合を結成するかの自由を有し、また、どの組合に加入するかも自由であるが（ただし、ユニオン・ショップ協定がある場合には事実上の強制がでてくる）、必ずしも、どの組合へも自由に加入しうるというわけのものではない。

つぎに掲げる判例は、正当の事由がない限り組合への加入を拒否できないかの如き表現をとっているが、この点は妥当ではなく、また、ユニオン・ショップ協定が成立している場合には組合への加入を拒否できないとするのであれば、その考え方も妥当ではない。問題となる点は、当該組合が一方においては「組合に加入しない労働者は解雇される」というユニオン・ショップ協定を保有しつつ、他方においては、当該組合への自由加入を抑えるということでは、結局組合の好まない労働者は解雇するというにほかならず、不当な団結強制になるということである。従ってユニオン・ショップ協定など団結強制がある場合において、若し正当な理由なく組合への加入を拒んだとすれば、加入を拒否された労働者についてはユニオン・ショップ協定を適用しえないというだけのことと解すべきである（石井＝萩沢・判例労働法五五頁以下参照）。なお、この事件における組合では、規約のうちに「新組合の規約綱領運動方針に賛成して加入を申込んだ者を拒むことができない」旨の規定があつたようであるが、そのような規定は組合の基本方針を定めたものとして、組合加入事務を担当する組合役員などを拘束することは当然のことであるが、そのことのゆえに加入を申込んだ以上、特定の労働者が当然に組合員資格を取得するというような意味のものではない。

【19】　「昭和二十一年一月被告会社安中製錬所従業員をもつて旧組合が結成され、原告は、旧組合執行委員の地位にあり、旧組合は、昭和二十八年八月諸要求を掲げて被告会社と団体交渉を行つたが、妥結するに

至らず、同年十月十二日からストライキを敢行し、同年十二月三十日に至つて漸く争議が妥結したが、その過程において同年十月三日新組合が結成され、右争議解決後は新組合による旧組合の切崩しが行われ、旧組合は、遂に昭和三十年一月二十日解散のやむなきに至つた。この解散に際し、新組合と旧組合との間に原告外五名の旧組合執行委員を除くその余の旧組合員は直ちに新組合に加入し、原告等旧組合執行委員は、一時新組合の外にあつて清算委員会を構成して旧組合の残余財産の処分ないし債権債務の処理に当るという諒解が成立した。そして、旧組合は、前記争議中旧組合員の生活資金として合化労連より数百万円を借用してこれを旧組合員に貸付けていたのであるが、原告等清算委員は、右貸金の取立等に当つていた。このような状態において、新組合は、昭和三十年一月二十一日ユニヨン・ショップ協定が締結されたにつきまだ新組合に加入していない労働協約上の資格者は同月三十一日午後一時までに新組合に加入の手続をとるように一般に告知した。そこで原告は、所定期日である三十一日午前中に新組合の規約綱領運動方針に賛同して加入する旨の他の一般組合員が用いたと同様の様式の加入届を新組合に提出して加入の申込をしたのであるが、他の一般組合員は、右と同様な加入届の提出によつて直ちに加入を認められ、また新組合の規約には、新組合の規約綱領運動方針に賛成して加入を申込んだ者を拒むことができない旨の定があり、且つ原告は、新組合と被告会社間の労働協約上組合加入の資格を有する者であるに拘らず新組合は、原告に対し、右加入届の外に債務者委員会の決定に全面的に協力する旨の誓約書の提出を要求し、原告がこれを拒否したため、加入を認められない状態にあつたこと及び債務者委員会とは、前記合化労連より旧組合を通じて争議中生活資金を借受けた旧組合員であつて当時新組合に加入している者の代表者が構成した団体に過ぎないもので新組合の機関ではなく、またその決定とは、右借用金の返済について利息の免除を主張する方針であることが認められる。右認定を左右すべき証拠はない。

而して労働組合は自主的団体であるから組合が労働者につき組合の存立を否定する言動をなす等の理由により団結権又は団体秩序の維持に有害であり、または有害と認めるについて正当の事由を有するときはこれら労働者の加入を拒否することは是認さるべきであるが、かかる特段の事情について主張立証のない本件においては、前認定のような事情によってなされた原告に対する新組合の加入拒否は、団結権又は団体秩序維持の目的と無関係であって不当なものというべきである」(東京地判昭三一・五・九 労民集七・三・四六二)。

そこで、つぎに問題となるのは、組合規約において、その組合員資格を特定の宗教信奉者または特定の思想傾向の保持者或は特定の政党の所属者に限ることが、労働組合として許されるかということである。この点については、憲法第一四条が「すべて国民は、法の下に平等であって、人種・信条・性別・社会的身分または門地により、政治的・経済的または社会的関係において差別されない」とあることとの関連が問題とせられ、直接憲法に違反するとまでいわなくても、憲法一四条の精神に反するものとして、前述のような組合規約の効力を否定せんとする立場がある。しかし、憲法第一四条は、国が国民を平等に取扱うことについての要請を定めたものであるから、私人間の関係、即ち労働組合の構成員の資格における問題などにつき直接の要請を定めたものとはいいがたい。もとより、国と国民との関係を定めている憲法の自由権の保障についても、なんら合理的理由なしに不当に右の自由権を侵害するときには公序良俗違反(民法九〇条)の問題を生じうるから(石井・労働法総論三一九頁参照)、その面から前述のような組合規約を問題とする余地がありうる。しかし、前述のような組合規約が許されるか否かということは、憲法第一四条の精神というよりは、労働者の団体を労働組合として、その統制力をも肯定している団結権保障の基本精神から判断すべきではないかと考える。即ち労働組合を結成するか否か、どの労働組合に加入するかということは各個の労働者の自由であるが、憲法における団結権の保障は、のちに労働組合の統制力についても言及するように、労働者の「全人格的な結合」として、これを保障したものではなく、人が「労働者としての人格の側面」において展開する生活関係につき保障されているにすぎないものである。その意味では、労働者は労働組合の内部においても、学問の自由・宗教の自由・政治活動の自由など、人格権的な自由を基本的人権として保障されなければならぬものである。従つて構成員たる労働者に対し後述のように統制力を及ぼす団体として承認され、その団結が保障されている労働組合の結成の条件としては、「直接」に特定の政党への所属とか、特定の宗教の信奉などをそれ自体として要求することは、組合規約を以てしても定めえないこと、換言すれば、その本来認められている団体の性格、その本来的な結合目的に反するもの（いわゆる ultra vires）というべきではないかと考える。ただ、実際問題としては直接このように特定の政党への所属とか特定の宗教の信奉とかを組合員の資格要件として組合規約に明記する事例はあまりなく、それを労働組合運動の指導理念ないし綱領として表明するのが常であり、このように、それが労働人格の側面に関する限りにおいての行動原則ないし指導精神として組合員たるの心構えとして要求される程度のものである場合には、それを組合規約のうえに宣言することはさしつかえないと考える。

(2)　労働者は労働組合に加入したのちにおいても、その自由意思によつて脱退することは自由である。労働者が団結しないという自由、いわゆる消極的団結権はわが憲法の団結権保障の内容をなすものではないと解すべきであるが（石井・労働法総論三三二頁以下参照）、ある労働者がその所属している特定の労働組合から脱退するということ自体は、当然にあらゆる労働者の組織から離れているということではなく、当該組合に対する批判としての脱退のうちに組合選択の自由を行使しているともいえるのであつて、それは憲法の保障する団結への自由、即ち積極的団結権とのつながりを保有している。この意味から労働者の組合脱退の自由を不当に制限することは許されない。

労働者の組合脱退の自由を実質的に制限する事例としては、組合規約を以て「脱退につき組合役員または大会の承認を要す」と定めるが如きことが考えられるが、かかる制限はいずれも無効と解すべきである。組合役員または役員会のような執行機関の判断に委ねえないことは当然のことであるが、組合員の除名と異り、組合大会の決議といつたような組合意思の決定機関の判断にも委ねることが許されないのは脱退の自由の制約は各個の労働者の自由意思を支柱とする労働組合の「結合の精神」と矛盾するからであり、そこに団結権保障の精神があるともいえよう。つぎの判例は組合を脱退するにつき代議員会の承認を要するとしている組合規約を無効としている。

【20】「原告は原告組合規約に付組合を脱退するには書面を以て届出をなし代議員会の承認をうることを要するにかかわらず、被告会社を除く被告等に脱退の届出をしたのみで、いまだ右承認を受けていないから組合員たる地位を失わない旨主張するが、かくの如く組合を脱退するには組合の承認を要しその承認がなければ脱退することができず、しかも証人中川孝行の証言によれば右規約の条項は原告組合が組合員の脱退を防止するため特にもうけたものであつて、承認不承認の判断は全く原告組合代議員会の自由裁量にあることが認められるので、かかる趣旨の規約は組合員の自由を著しく制限するものであつて、いわゆる公序良俗に反し法律上無効といわねばならない」（札幌地判昭二六・二・二七・労民集三・六・五二四）。

ただ、右の判例は脱退につき代議員会の同意を要するという組合規約につき、それが組合員の自由を「著しく制限する」ものであることから公序良俗に反し法律上無効であるとしているので、組合規約を以て脱退に形式的な制限を加えているにすぎない場合をどのように考えるのかは必ずしも明瞭ではない。この事案においても、すでに脱退につき「書面による届出」が要求されていたのであるが、このような形式的な制限（これに例えば三月前の事前通告を要すとなすことなども考えられるが）そのものをどう考えるかである。この場合書面による脱退の通知ということは脱退の意思表示を要式行為となしたものであり、従つてこの方式によらない限り脱退を無効とする趣旨であるかということが一応問題となりうるが、労働組合における組合員の脱退事務処理の必要も、そう重要な要請ではなく、他面それは労働者の脱退の自由を事実上制限するものであることには変りはないから、そのような組合規約は一応の「訓示的規定」と解すべく、従つて規約所定の手続によらぬ脱退の意思表示もやはり有効とみるべきである。つぎに掲げる判例は組合が分裂した場合に関するものであるから、必ずしも一般の場合の解釈を示したものとはいいがたいが、組合規約所定の脱退手続をしなくても脱退したものと認められる事実関係の存在がある以上、脱退を認むべきであるとしている。

【21】　「組合はそれぞれの組合費の徴収につき使用者に対し、使用者が各組合員に給料を支払う際に源泉徴収あることを委任していたところ、電産と電労においては、その組合費の金額に相違があつたので分裂直後である昭和二八年八月頃両組合においては協議の上、従業員それぞれ電産の組合員と電労の組合員とに截然と二分し、相互にそれを確認してそれぞれの組合員名簿と各人に対する組合費の金額一覧表を使用者に提出したのであるが、その際西田ら三名は電労の組合員として確認され、爾来電労に対してのみその所定の組合費を納してきたものであること及び西田、浜渦らが電産傘下の執行委員に就任するに当つては、予め同人

らがその同意を与えたものであつて、その後同人らが電労関係の各種大会に参加した場合の出張旅費については、それぞれ同人らより電労に対して支給方の申請をなした上その支払をうけてきたものである、……そうすると西田ら三名は電産の分裂に伴つて電産を脱退し、新たに結成された電労に加入したものであるといわざるを得ないのであつて、同人らがいずれも電産規約所定の脱退手続をしなかつたことは当事者間に争のないところであるけれども、組合が分裂した本件の場合において右のような事実がある以上、そのような手続を履践していないことは同人らが電産を脱退したことについて何らの影響をも及ぼさない……」（高松地判昭三〇・三・一四労民集六・二・一二九）。

このように労働者は組合脱退の自由を有するから何時でも組合から脱退しうるわけであるが、各個の労働者の恣意的な組合からの脱退によつて労働組合の団結などが侵害されるような結果を生ずることもありうる。つぎの判例は、組合規約において脱退につき組合の執行委員会の承認を要すとあつても、そのような規定は無効であるとする点においては前掲【18】の判例と同趣旨であるが、これを憲法における団結権などの保障との関連において詳述していることと、脱退が争議破りのように組合の団結権を侵害することのみを目的として行われた場合につき言及していることを注目すべきである。

【22】「およそ憲法第二十七条に定むる勤労の権利は労働者が自己の意思に従い自己の労働を処分する完全な自由権であつて不可侵絶対的のものであることは憲法第十一条乃至第十四条の解釈上疑を容るる余地のないものであつてその自由は法律事項とされていないのであるから法律、条例又は契約によつてこれに制限を加え又は禁止抑圧せんとする処置及び約定はすべて許さるべきものではない。この法理は憲法第二十八条の勤労者の団結権及び団体行動権についても同様に解すべきものである。唯憲法第十二条で国民に、これらの権利の濫用を禁止し公共の福祉に反しないよう利用する責任を負わしめているに過ぎない、即ち勤労者が

組合を結成する等、団結する権利は独り勤労者に属する自由権である限り勤労者が結成せざること又は一組合を脱退して他の組合を結成することも勤労者が自己の意思に基き自由に処分し得る権利であると認むべきであつてこの権利が前段説示のとおり絶体不可侵の権利である以上たとえ組合規約を以てこれに禁止制限を加え又はこれと同一効果をもたらすような約定があつても、それは前記憲法に違反し何等拘束力を有するものとはいえない、若し夫れ組合規約を以て所属組合員の労働力を内部的に結集統制するために定められた規範であると解するなら争議中その統制が乱れ脱退者を続出したとき組合としては如何なる理由によるも組合活動を低下せしむるような脱退を承認せざるは通常執らるる措置と観らるるので、若しこの措置に一定の法的拘束力を附与するならば脱退者が規約に違反することを唯一の楯とし如何に正当の理由があつても、それを無視しその脱退を否定し徒らに脱退者の自由意思とその行動を束縛するの結果一般組合活動の正常な運行とその健全な発達を阻害し引いては真に正しく働かんとする労働者の組織する自由な建設的な民主的な組合の育成を破壊することとなりその不当なるや明白であると解するからである。」……如何なる時代如何なる社会でも各個人として、その意見を異にするものの存在することは免れないのであつて、その意見は一度発表すれば何時までもこれに拘束せらるるものでなく、その人の立場又は情勢如何でこれに再考を加え正しいと信ずる方向へ変改することがあつても、これは個人の自由として憲法の保障するものといわねばならぬ、これなくして真に個人の自由を尊重する労働組合の民主化は到底望むべくもないものと思われる、この意味で自己の意見と異にする既存組合を脱退し自己の欲する組合を結成しよりよくこれを育成し向上発展せしめんとするは勤労者の自由であつて何人もこれに抑圧妨害を加えることを許さるべきものでないと考える。

然しその組合を脱退し新組合を結成することが例えば争議破りのように既存組合員の勤労権若しくは団結権を侵害することのみを目的として行われた場合にはその脱退若しくは新組合結成は憲法の保障する勤労権及び団結権の固有の権利として発動されたものといえないので寧ろ権利濫用として保護の対照となり得ないことは勿論である。何となればこの場合は所謂争議破りのため他人を雇入れたときと同じようにその行為の窮極の目的が争議の効果を減殺することのみにあつてそれ以上の独自固有の利益なり権利なりによつて保障づけられたものといえないからである。

これを要するに、組合規約は一種の社団法上の権利義務を定めたものに過ぎないのであるから固より憲法の優位に立つものとの解釈は是認せられない。従つて憲法の規定に違反する組合規約は当然無効とされねばならぬのであつて、如何に社団法上の権利を行使するためとはいえ苟も憲法の精神を蹂躙することは許されない。

これ憲法はあらゆる私法上の権利義務の源泉をなすがゆえである本件においてこれを観るに本件争議宣言後延労組合員中その争議方針に不満を抱くものや自己の生存権を擁護せんとするものが該組合から脱退し最初レーヨン工場で旭レーヨン従業員組合を結成し漸次他工場に波及し脱退者を続出し遂にこれら脱退者によつて所謂第二組合を結成し会社の提案した賃金額等を呑むこととし会社に対し争議を終熄せしめ労務を提供する意思を明確にし会社も又これを請け容れたものであることは前叙挙示の各証拠によつて優にこれを認めることができるので固より右脱退及び新組合結成は前説示のとおり合法的になされたものと解するが故に被告人等及び弁護人等が主張するように争議の効果を減殺することのみを唯一の目的とする所謂争議破りの意図の下になされた違法のものとはいえない、又仮りに右脱退の縁由動機が会社側に責むべきものがあつたとしても、それは組合対会社間の問題として解決すべき事項であつてその事実を捉えて組合の争議権の侵害なりと称し脱退者の勤労権若しくは団結権を否定するの根拠となすに乏しい。

組合としては何処までも組合内部の問題として自主的民主的にこれを処理し一段と団結権を強化し脱退を防止するの手段を講ずる方途を策するに如くはないのであつてその手段方法は飽くまでも合法的範囲を一歩も超えてはならないのである、従つてたとえ右脱退が組合所定の届出手続によつて組合の執行委員会の承認を経ていないからといつて無効と解するいわれなく却て右説示のとおり右脱退及び第二組合結成は正しく憲法の保障する勤労者の基本的人権の発露として正当に行使されたものといわねばならぬ。

かく解するときは本件争議中会社内にこれを所属する労働者を以て組織する二つの組合が存在することとなり各自その有する勤労権といい、団結権といい、団体行動権といい法の下に平等であつて彼此差別を設くべきものでないことは敢て贅言を要するまでもないので苟もこれら権利の侵害を招来するような一切の障害を悉く除去し、互にこれら権利を侵犯せざることによつてのみ始めてこれら権利が勤労者に与えられた絶対不可侵のものとして有効適切にその機能を発揮し得られるのである」（宮崎地延岡支判昭二四・七・二〇刑資四八・二九三）。

右の判例は、一般的には脱退の自由を基本的要請とするものではあるが、「その組合を脱退し新組合を結成することが、例えば争議破りのように既存組合員の勤労権若しくは団結権を侵害することのみを目的として行われた場合にはその脱退若しくは新組合結成は憲法の保障する勤労権及び団結権の固有の権利として発動されたものといえないので、むしろ権利の濫用として保護の対象となりえない」とし、具体的な事案としては、そのような意味の脱退ではなかつたとしたものである。この場合、「争議破り」のような脱退は「権利の濫用として保護の対象とはならない」ということの趣旨は脱退の効力そのものを否定する意味か否か必ずしも明確ではないが、それがピケッティングの正当性を論ずるに当りその対象が所属組合員である場合と非組合員である場合とでは、判断に相違を生ずるものであるとして脱退の効力を論じているところから推論するとき、判旨は脱退の法的効力そのものを否定するのではなく、むしろ脱退の有効なことを前提としつつ而もそのような権利の濫用としての脱退であることに対応した法的取扱をなすことを承認しようとしているものとも解しうる。例えば、組合から脱退した労働者に対しては組合の統制力は及ばないから、組合が争議行為をなしているとき、その労働者が争議行為に協力しないで就労しても当然に組合に対する侵害行為とはならない。そして組合が争議行為をなしている最中に使用者の切崩しによつて組合を脱退した労働者が直ちに就労するといつたような場合にも、そのような脱退が有効であることには変りはないが、そのような行為は組合に対する裏切り行為であるから、そのような脱退者の就労に対して労働組合がピケッティングをなす場合、その違法性の判断に当つては、純然たる第三者に対する場合とは若干区別すべきものがあることはたしかである（石井・労働法一三五頁参照）。また、組合からの除名を回避する目的でいち早く脱退したといつたような場合には、法律的には脱退の効果はすでに発生しているわけであるが、組合として除名としての措置をとる必要がある場合には、その者が除名に相当するものである旨の決定をなして、除名の場合に予定されたような取扱をなすことも可能である（石井＝萩沢・判例労働法二六一頁以下参照）。

なお、以上において述べたような労働者の組合への加入または脱退の自由は、クローズド・ショップ協定（企業別労働組合を常態とするわが国ではあまり実例はないが）ないしユニオン・ショップ協定など団結強制に関する協定が労働協約に定められている場合には、事実上注目すべき制約をうけることになる。しかし、このユニオン・ショップ協定がある場合においても、労働者は組合に加入していないと使用者から解雇されても仕方がないという面から組合への加入が事実上強制され、また、組合からの脱退が事実上制約されるというだけのことであつて、法律上当然に労働組合の組合員とせしめられ、または、組合からの脱退を認めないというわけのものではない（なお、石井・労働基本権一六三頁以下参照）。

五　労働組合の統制

(1)　およそ一定の目的を以て結成される人の集団、即ち団体においては、その目的を適切に実現するため、多かれ少なかれ団体の構成員に対する団体の統制力ということが承認せられざるをえないが、労使の経済的地位の不平等に鑑み、その実質的平等を実現するために発達してきた労働者の団体、即ち労働組合においては、その性質上その目的を遂行するため組合の組合員に対する統制力が相当に強く認められるであろうことは容易に理解しうるところである。そして、それは現に通常の市民社会における集団の場合よりは強い統制力を肯定することが、労働組合という団体を結成する労働者の合理的な規範意識でもある。ただ、ここに看過することのできないことは、労働組合も結局は一つの「目的をもつた団体」であるということである。而も、その目的は人間が、その全人格的な生活を没入するといつたような人格的・精神的なものではなく、人が「労働者という人格」の側面において展開する生活関係において、その「生存の確保」、具体的にいうならば、資本主義社会における労働者として、「対使用者との関係を通して」その生存の確保を図ることを目的とするものである。その意味において、労働組合は「全人格的な結合」ではなく、人格の一つの側面である労働者という社会的地位において経済的・社会的な利益の確保増進を目的として実現されるものであつて、社会学的には一つの「利益社会」の範疇に属する。その意味では、それは人間の「利己心」を起動力とする一つの打算的な目的団体である。そのゆえに法律的にも組合意思の決定に組合員の全員一致ではなくして組合員の「多数決」が多数人の団体における已むをえない現象としてではなく、むしろ、その団体に適合した方式として採用されている。従つて、団体の統制力も、このような各個の労働者の結合の契機たる目的を無視するようなものであつてはならず、また、その統制力も、このような目的を実現するために合理的にみて必要と認められる限りにおいて肯定されるにすぎず、このような基本的な精神によつて労働組合における多数決による統制力の範囲ないし限界を明らかにする必要がある。

現実の問題として、労働力のみによつて生存を確保するのが常態である労働者にとつては、全人格のうち労働者という人格の側面がとりわけ重要な側面をなすことは否定しえないことであるから、労働者としての生存の確保を図るための団体としての労働組合の価値をともすれば過大評価して、全人格的にこれに没入するような誤解を生じやすい。また、このような労働者の団体を強力にするためには、とりわけ、その統制力を強調する弊に陥りやすく、このような傾向は労働組合主義の発達の当初の段階においては多かれ少かれ免れがたいことであるともいえる。しかし、正しい意味においては、このような極端な団体主義は反省を要することは当然のことであつて、労働組合の統制力もその構成員たる組合員の自由との適正な調和のうちに、その実現をみるべきものである。

(2) 労働組合の統制力は、すでに述べたところから明らかであるように、それは、第一に、対使用者との関係において労働者の労働条件その他の経済的条件を維持改善することについての団体交渉ないし団体行動、とりわけ争議行為の実現などの面において最も強く、その本来的な作用を発揮する。そしてこのような統制力は、結局のところ統制違反に対する制裁として組合員の除名その他の懲戒的処分という形で行使される。いまここでは各個の事案につき除名の適否に立ち入るつもりはないが、労働組合が対使用者との関係において団結力を維持し、また、団体交渉その他の団体行動をなすに当り各個の労働者が組合の統制に反して労働組合に不利益を及ぼすような行為をなしたような場合には、除名に値する統制違反とされているという意味で、除名に関する若干の判例を掲げることにした。つぎに掲げる判例【23】は組合と会社との団体交渉中に一部組合員が勝手に多数組合員を煽動して就業時間中に職場大会を開かしめたことが、その後の組合と会社との団体交渉に支障をきたしたことを組合の統制違反とし、判例【24】は会社側の労働基準法違反の事実を挑発的煽動的に公に暴露したことによつて無用に労使の対立を刺戟し尖鋭化させて団体交渉に支障をきたしたことを組合の統制違反としている。また、判例【25】は、賃金闘争に際し組合の指令に違反としたことなどを統制違反としたものであるが、この三つの判例は、いずれも労働組合の使用者に対する団体交渉などの面において組合の運営ないし活動を阻害したことを統制違反とする点では共通の類型に属するといえよう。

【23】　「昭和二十四年十一月下旬から始められた組合の会社に対する越年資金、賞与支給の要求に付双方未だ妥結に至らず同年十二月七日第二回団体交渉を為す運びとなつていたところ同日昼の休憩時間中から会社工場車体二部に組合員の参集繁く就業時間に至つても集会を続け逐次その数を増し遂に臨時職場大会開催に迄拡大するに至り、その間職場を抛棄して顧みない事態となつた事、右集会並職場抛棄は申請人等が相謀り多数組合員を煽動指揮して為さしめたもので委員長前田直一の意思を無視して行われたこと、及この為組合は爾後の交渉に於て不利な立場に追込まれるに至つたことが認められるのであつて申請人等の提出援用する疏明方法によつては未だ右事実を覆すに足りない。このように一部組合員が独断で多数組合員をして就業

時間中職場を抛棄し職場大会を開催せしめることはその意図の正否を問わず組合の統制を乱すも甚しいものと謂うべく、従つて申請人等にかかる事実が存する以上被申請組合の主張する他の事実有無に拘らず右一事を以て組合規約第九條所定の該当事由は之を充足するものと言つて差支えない」（大阪地判昭二五・一二・一四労民集一・六・一〇九四）。

【24】「成る程一個人としては甲第四号証のようなビラを配布することは現行憲法並に諸法令の枠内では自由であろう。又会社の労働基準法違反の事実を監督官に申告することは労働者の権利であり使用者はこの申告を理由として不利益を与えることはできないことは労働基準法第百四條の規定に照らし明かである。然しながら控訴人が純然たる個人の立場をはなれ労働組合員たる地位に立つ限りその定める労働組合規約が著しく不当のものでない限りこの規約の定めるところに従つて行動をせねばならずこの限度においては個人の有する言論の自由も或程度の制約を受けることは已むを得ないことである。而して本件は会社の労働基準法違反の事実を監督官に申告したのではなくして違反の事実を公に暴露ししかもその文言は挑発的煽動的であつて無用に労資の対立を刺戟し尖鋭化させるものであるから被控訴組合が控訴人の本件ビラ配布行為を目して前示規約並に細則の規定に該当するものとして控訴人に対し細則所定の制裁を加えたことは容易に首肯し得るところであつて本件除名処分を個人の言論の自由を侵害する無効のものと断ずることはできない」（広島高松江支判昭二六・三・一二労民集二・一・九一）。

【25】「被申請人組合の上部団体である日本炭礦労働組合通称炭労の昭和二十九年一月一九日付炭労中闘指令第二十九号により賃金要求貫徹を指標とする闘争の為全国一斉時限スト（拘束六時間）及び拘束時間厳守違法闘争並びに原炭搬出拒否を夫夫期日を定めて実施することとなり、その内拘束時間厳守違法闘争については同年一月三十日、三十一日、二月三日、四日、十一日の各期日に拘束八時間厳守一斉一時間休憩により行うことになり、被申請人組合では右の内一斉一時間休憩については昼食時間を完全に一時間とることとし拘束八時間については抗内八時間を厳守する為に勤務時間終了の四十分前には必ず作業を中止することと

して闘争に入り、更に同年二月七日付被申請人組合闘争委員長よりの賃金闘争動員計画に対する指示第一号、職場闘争に関する指示第二号を以て「二月九日より決戦段階に突入する為総員はあらゆる行動に備えて態勢を完備し職場民主化闘争を徹底的に行い団結の強化に努めること」を指示し前記スト期日以後も休憩一時間厳守を励行することにして被申請組合は会社に対して闘争状態に入つていた事実が認められる。

このような状勢の際において潜龍坑の第三水平左一号払の責任者であり（このことについては当事者間に争いない）同組合内の職域協議会副会長であつた（このことは証人黒田光雄の証言により認められる）申請人が前記スト期日の当初において（一月三十日及び三十一日頃）二、三回に亘り休憩一時間を厳守せず約二十分乃至三十分程を短縮し、同様拘束八時間についても終業時間前四十分に作業を中止することなく約十分乃至十五分の延引のあつたことが証人黒田光雄、大曲重夫及び同林田常義の各証言により認められ、更に証人松尾貞記、川副官次及び同辻田善夫の各証言を綜合すれば申請人は三月十四日採炭小委員会の後「ひぐれ食堂」において第三水平右一号払の責任者である訴外松尾某と飲酒の際同人より責任者としてつらいとの発言があつたのに対し「それなら上司のところに行けばよいではないか」と申請人から松尾にさそいかけ、やや躊躇する同人を伴つて訴外辻田礦務係長宅に到り、態態川副礦務課長も呼んで貰い、同所で共に飲酒し乍ら右係長、課長を前にして自己配下の林田・川口外数名の批評をし気の合わぬものを代えて欲しい、そうすれば自分の思う通りになるとその氏名をメモした上辻田係長にも写して置く様に要請した事実が認められる。ただ右辻田宅においては申請人も相当の酩酊状態にあつたことは認められるけれども未だ自己の行為についての認識を欠く程の状況にあつたとは考えられない。

次に以上の行為が組合の統制秩序を紊しその名誉を毀損したものに該当するかの点については申請人の組合及び会社内における地位、右行為当時における前記組合対会社の緊迫せる状況等を併せ考えるときその行為は組合の団結を紊し、組合の闘争態勢を阻害したものであつて、従つて又団結を欠く組合として対外的な名誉をも毀損したもので当然右統制条項に該当するとみるのが相当である」（長崎地佐世保支判昭二九・七・三労民集五・六・六一七）。

(3) つぎに問題になるのは、直接に対使用者との団体交渉ないし団体行動などの関係で労働組合の団結力を確保するということではなくして、労働組合の内部組織運営の面における統制力である。この点については、組合規約や組合の綱領などで組合運営の指導方針とするところ（もとより、それが合理的なものであることを要するが）を無視して組合員が行動することに対しては、それが組合内部における活動であつても統制しうることは当然のことであり、除名の事由ともなりうる。つぎに掲げる判例は、組合員の言論の自由と統制違反との関係を示したものであり、その点では前掲【24】の判例と共通の面をもつが、本判例は当該組合員の行動が対使用者との関係を考慮して把えられたものではなく、専ら組合内部における活動として、組合員の政治的・社会的自由と組合の統制という面で問題となつている点に特色がある。

【26】 「原告は、原告Bが「信鈴」を執務時間外に特定の者に配付したことは個人の政治的自由行動の範囲内であるから、被告組合の機関にはかる必要はないと主張する。しかし、原告の右「信鈴」配付行為が一般従業員の職場たる車庫における執務時間内の行為なりと解すべきこと前述のとおりであるから、これをもつて単純に原告Bのみに関する個人的な行為とは考え得ず、従つて一般従業員の組織たる被告組合の機関の意思を無視して行い得ないものといわねばならない。よつて、右「信鈴」の配付行為が純粋に原告Bの個人的な活動の範囲内であるとなす原告の主張は失当であり排斥する外はない。又原告は、右「信鈴」中の被告組合を批判した記事は言論の自由の範囲内に属し、他からなんら干渉すべきものではないと主張する。もとより原告Bが個人の地位においてその被告組合の態度を批判した記事を公にすることは言論の自由として許され、他よりみだりに干渉し得ないことその主張の通りである。しかし、原告Bが純然たる個人の立場を離れ

被告組合の組合員として組合を批判する記事を公表する場合には、被告組合の統制に服しなければならぬことも亦当然である。即ち被告組合はその組合としての立場から組合員の不当な言論に対し、或る程度の制約を加える事は、場合により止むを得ざる処置として是認されねばならない。ところで成立に争のない甲第一号証によると、右「信鈴」の記事中には或は組合の決定事項に対し反対を唱え或いは組合の運営についての外部の批判を書きたて、被告組合の統制を乱すものを含んでいるから、被告組合がこれに対し組合の立場から或る程度の制約を加えることはなんら原告の言論の自由を侵害するものではない。」(名古屋地判昭二六・九・一二九労民集二・五・五八九)。

このように組合員の組合内部における活動と組合の統制との関係は言論の自由との関連において問題となることが少なくないが、組合員が組合の内部においても言論の自由を有することは当然のことであつて、組合幹部に対する批判が許されないということではない。例えば組合大会における一定事項の決定(例えばスト決議についてすら)に当り執行部原案に対し反対意見を述べ、或は執行部の態度ないし方針を批判するということは、組合における民主的な運営として、むしろ当然に認められるところである。これを要するに、組合幹部に対する批判の如きは、その批判が行われている場所や批判の方法などからみて、「組合の健全な運営を阻害するが如き言動並に素行」と認められるかということを、各個の場合につき具体的に判断するほかはない。

言論の自由のほか組合内部における組合の活動につき組合の統制力との関係で屢々問題となつているのは、組合員の政治活動である。すでに述べたように労働組合は労働人格の側面において展開される生活関係における団体であつて、労働者は全人格的に労働組合に加入するものではなく、他面憲法は各人の政治活動の自由を宣言しているから(憲法一九条・二一条)、組合の決議を以てしても、また、組合規約をもつてしても組合員の政治活動を一般的に禁止し、または制限することはできない。従つて、例えば国会議員の選挙などに当り、特定の政党に属する者を組合として支持することを組合の決議を以て決定するようなことは、法律的にはできないことであり、その候補者がたとい当該組合の役員であつても、それを以て各組合員の選挙権行使の自由を制約しうるものではない。この意味では、組合の政治局の決定が組合員を拘束するとしている判例【27】は妥当ではない。

なお、この点は従来共産党のフラク活動との関連において、とくに問題とされている。共産党のフラク活動も一般的な政治活動そのものとしてはこれを禁止することが許されないことについては、判例【28】の判示するところであり（なお、石井＝萩沢・判例労働法二六七頁以下参照）、また、それが組合に対する批判としてのものであつても、言論の自由の限界を守る限り統制違反とみるべきでもない。

【27】「自由を生命とする議会活動においても、自ら求めて拘束を受けること、すなわち、自己拘束を受けることは許されうるものと解しうるところ、本件においては、政治局の確認事項として『政治局の決定は全員一致して同一行動をもつて議会に反映せしめる』旨、原告自らも参加決定、確認されおることは、当事者間に争いがないから、政治局は、その局員である原告の町議員活動を制約し拘束する決定をなしうるものといわねばならない。したがつてまた、後に認定するように、組合規約第四七条に基づく政治局規定第三条第一号には『政治局員は政治局の決定を把握し全員結束して議会その他に反映する』とあり、かつ原告ら政治局員は組合に対し『組合規約に基く政治局の一員として行動する』旨確約しているから、原告のような組合員たる政治局員が、政治局決定に違反したときは、組合から政治局決定違反を理由に制裁を科せられてもやむをえないところといわねばならない」（札幌地岩見沢支判昭三一・六・二五労民集八・三・二六五）。

【28】「被申請組合は、労働組合たる本質上明示しなくとも当然に組合員の労働条件の維持改善、その他

経済上の地位向上を図ることを目的とするものとみられるが、成立に争のない疎乙第九号証（被申請組合規約）並に弁論の全趣旨によれば被申請組合の規約に定立された目的としてはとくに我国産業の興隆と民主主義日本の建設の推進力となること、強固な団結の下に友愛と信義をもつて生活と文化の向上を図ることとなる旨の綱領及び健全強固な自主的組織を確立し以つて労働生活の向上と共同福利の増進を期すること、技術の錬磨品性の陶冶識見の啓発に努め以て人格の向上と完成を期すること、労働の社会的意義を顕揚し、産業民主化の徹底を図り以て新日本を建設し進んで世界平和に貢献せんことを期することとなる日本労働組合総同盟綱領の貫徹であることが認められるけれども、要するに経済的な産業の興隆民主化の組合員労働者の経済的地位向上をはかる旨を定めているのであつて、組合員に対して政治的な一定の態度を要求するものとはみとめられない。したがつて組合員に対して一定の政治的態度を求むる決議をなすためには、これが具体的場合に組合員の地位向上のためとくに必要である事情がなければならない。しかるに被申請組合が共産党員のいわゆるフラク活動なる政治活動を全面的に禁止しなければならないようなさしせまつた事情は被申請人等の全疎明によるもこれをみとめがたい。なるほど昭和二十二年十二月ごろには被申請会社には隠退蔵物資摘発事件といわれる騒動があつて、これは組合の共産党員が内通してなされたものといわれるけれどもこのことによりてただちに本件組合員に共産党員としての政治行為を全面的に禁止しなければならないものと断ずるには十分ではない。又被申請人等の主張に徴するもかかる一定の政治的主張活動を否認しなければならない事情があつたとまで主張しない点よりするもこのことは首肯しうるであろう。従つて決議をもつて共産党フラク活動を禁止し、制裁規定をもつて組合員に強制することは被申請組合の目的の範囲外の行為であつて、右決議はその余の争点に付いて判断する迄もなく当然無効と謂わなければならない」（大阪地判昭二四・六・二五労判集四・二二）。

しかし、一般的には政治活動に属するような行為でも、それがその行為のなされ方や、その行為の展開される場所によつては、企業秩序を乱すものとして労働組合と使用者との関係を不必要に悪化することもあり、また、直接労働組合の指導綱領に対する不当な批判として、具体的な事例において組合の統制を紊し組合の組織を攪乱する場合もありうる。従つて、労働組合がこれらの行為を禁止し、また、その行為に対して制裁を加えることができるのは、労働組合がその団体としての存在を維持し秩序を保持するため当然のことである。この場合の制裁ないし禁止は、理論的にいえば政治活動それ自体に対するものではなく、具体的に生ずる労働組合に対する侵害行為について行われるものである。つぎに掲げる判例は、直接政治活動を組合規約ないし組合決議で統制しうるような表現を示している点では妥当でないが、具体的な事案として右に述べたような意味で労働組合の統制を乱すようなものである限り、一見政治活動ないし言論の自由に属するとみえるような行為でも、組合の統制に服するという趣旨であるとすれば、むしろ当然のことであるといえる。

【29】「組合規約第三十三条の組合員にして組合の統制を乱す行為ありと認められる場合は所定の手続を経て除名する旨の定は、組合員はたとえその行為が政治活動であつても、それが組合の統制を要しない行為である場合は格別、組合の統制を要する行為である場合に於いては組合の統制を乱すときは所定の手続を経て除名せられる趣旨であると解するを相当とするところ、組合がその基盤とする工場内に於いて組合員がその政党機関紙を配布するは、正に直接組合の統制に従うべき事項であると共に、就業規則（乙第二号証の一）に従業員が予め会社の許可なくして工場又はその附属建物に伝単を掲示又は撒布した場合又は之に準ずる著しく不都合な行為をした場合には懲戒解雇する旨の規定あり、就業規則意見書（乙第二号証の二）に依れば就業規則の該規定は組合より異議なく承認せられたところであつて、又労働協約（乙第三号証）に依れば組合は工場と相協力して工場の興隆と従業員の福祉増進を図ることに努むべき旨協約しているところから看れば、間接にも亦組合の統制に従うべき事項であると考えられるから前段認定の原告等の行為は組合の決議機関たる代議員会の決定を無視して政党機関紙を配布したものであるから、組合の統制を乱したものと謂わな

ければならない」（岡山地判昭二四・一〇・三〇労判集六・一七八）。

【30】「本件除名は組合員が組合内部に於いて政治的活動を行うことを禁止する旨の決議に反して申請人両名が共産党細胞機関紙「コンベア」の発行組合員に対する配付等の行動をなしたことを理由とするものであり、右は単に政治的信条の範囲に止まるものではない。又規約第十三条第五号には組合員の政治活動の自由を保証して居るが、規約第十四条第二号は組合員に組合決議を尊重し、統制に服する義務があることを明定して居り組合は個々の組合員が組合を離れて一般大衆を相手として政治活動を行うことを禁止することは出来ないが、組合員の勤務する工場の内部或いは其の附近で細胞機関紙を組合員に頒布する如き行為を制限乃至禁止することは組合が其の団結を維持し、統制を確立する為可能であり、組合員の之に反する行為は許されないもので、組合の前記決議及び申請人両名の之に反する行動があつたことは疎明十分である」（岡山地判昭二五・八・三〇労民集一・追録一三八）。

組合員の思想・学問の自由などと関連し、使用者の計画する労働者教育など講習会に組合員が参加することに対し組合は統制を加えうるかにつき、つぎの判例がある。

【31】「本講習教育を受くるかどうかは、業務上は、原告等の自由であるが、他方、被告組合はその団結を維持するため所属組合員の行動に対し或る限度の統制を加えうることはあきらかであり、従つて、この限度において原告等の右の教育の自由に制限を受くることのあるのは、これまたやむをえないところと考える。すなわち、原告等が本講習会に参加することが、被告組合の団結を弱化さすおそれがあると疑うに足りる合理的な理由がある場合には、被告組合は、この参加を禁止することが出来るものと考える。

そこで、この見地に立つて本件をみると、

(1)　講義内容には、労働組合活動乃至は労働運動に関する部分が多く、特に、Ａ講師は、共産党の破かい活動から産業を防衛するには労使の対立を超えた国家的な見地からなされなければならない旨労使の協力による職場防衛の必要を論じていることが認められるし、会社が本講習会を開催したねらいもこの労使協力による職場防衛については、被告組合は、かねてから、共産党の破かい活動から産業を防衛すると言うことに名をかりて、実は労働組合を使用者と協力させ、その自主性を切りくずし、組合の産報化を企図するものであるとして、これに反対の態度をとつて来たことは、証人馬場春男の証言と同証言によつて成立を認めうる乙第十六号証によつて認められる。してみれば、本講習会は、組合教育、しかも、被告組合の方針に反する組合教育をその内容としていると言わねばならない。

(2) もつとも、証人馬場春男、対島孝且、千葉一二、の各証言に、成立に争いのない乙第二号証と弁論の全趣旨とを綜合すると、本講習会の具体的な内容は、参加禁止当時、被告組合には判つていなかつたが、本講習会と同一の構想をもつて、会社主催の従業員講習会が従来道内で数回開催されていたので、これ等の講習の内容からみて、本講習会の内容に被告組合にとつて好ましくない組合教育のあることは被告組合に予測されていたこと、従つて、被告組合は、かような組合教育を組合と対立の立場にある会社が、しかも後に認定するような方法、時期に組合員に対して行うことは、組合の自主性、延いては、その団結保持の上から許されないとし、かかる理由から、本講習会に反対し、原告等組合員の参加を禁止したことが認めえられる。

(3) 次に、本講習会開催の方法をみると、本講習会は江の島と言う遠隔かつ景勝の地で開催され、しかも、極く少数の従業員を対象として行われ、かつ、受講者は出張扱とされ、その旅費、滞在費からその間の賃金をも保障されていることは当事者間に争いがない。かような方法をもつて組合と対立の立場にある会社が被告組合員に対し技術教育以外の教育を行うことは組合の団結保持の上からみて充分問題となりうる事柄である。

(4) 更に、本講習会開催の時期をみると、証人馬場春男の証言によると、当時、被告組合は破防法、労働法規改悪反対闘争中であつたことが認めえられ、平時に比し一層組合の団結を必要とする時期に直面していたのである。

以上を綜合すると、本講習会の開催が、被告の主張するように、被告組合に対する不当労働行為であるかどうかしばらくおくも少くとも、原告等が本講習会に参加することは、被告組合の団結を弱化さすおそれがあると疑うに足りる合理的な理由があり、被告組合はこれを禁止することが出来るものと言わねばならない」（札幌地岩見沢支判昭二八・一一・三一労民集四・二・七一）

本来労働組合員に対する労働者教育などは労働組合によつて自主的になさるべきことであるが、それが充分に行われない場合或はその教育内容が偏向しているような場合には、労働者としては、より広い視野に立つての労働教育を希望することは、広く文化的な人格の向上という面のみならず、労働者としての文化的・技術的素質の向上のため当然のことである。また、労働者としての真の団結を強化する意味からも、労働者側に立つた意見や資料のみならず、使用者側、さらに公正な第三者からみた意見や資料につき広い視野から客観的に妥当な判断をなす訓錬が必要である。この意味から、労働組合員が、公的ないし私的の団体などによつて企業外で行われる各種の労働者教育講習に参加することはもとより自由であるが、使用者が計画する講習会などに参加することも原則として自由であるといわねばならぬ。そして講習の内容・方法及び時期などからみて、それが従業員の一般的な教養の向上ないし教育のための講習であり、参加の機会提供が公平であり、かつ、その開催時期からみても具体的な組合運動に障害となる虞がないといつたようなものである限り、単にその講義の内容が組合の指導方針に反するとか好ましくないということだけで、或は参加者に参加のために必要な合理的範囲で経済的な便益が供されているということだけで、労働組合として組合員の自由な参加を制約しうるもの（除名その他の制裁を以て統制しうるもの）ではない（石井＝萩沢・判例労働法二七一頁）。ただし、一般的に労働組合運動を否定ないし軽視するような指導内容の講習会の場合はもとより、具体的に特定の労働組合の指導方針ないし運動のみを批判することを目的とするような講習会などの場合には労働組合としても組合の団結を弱化さす虞あるものとして、組合員の参加を禁止しうる。前掲判例【31】も結局は、以上述べたような趣旨を示すものと解すべきである。

最後に問題となるのは、労働者意識の昂揚といつたようなことと関連し、メーデーへの参加につき組合員に対し労働組合として統制を加えうるかということである。メーデーの行事が労働組合にとつて年一回の重大な行事であることからみて、これに理由なく参加しないことは組合の統制を紊すものといえるが、不参加ということそれ自体が当然に除名の事由に該るほどの統制違反となるとは解しがたい。つぎの判例は、メーデー不参加を統制違反と認めつつ而も不参加者が特定の政党の行事に参加したという程度では「組合内部にあつて積極的に秩序を攪乱し結束を破壊するもの」ではないとして除名処分を組合の権利濫用と判示している。その結論は妥当ではあるが、除名処分を否定するにつき、ユニオン・ショップ協定があることを綜合考按していることは理論的には正当ではない。ユニオン・ショップ協定の存在は組合員としては当然に了解していることであるから、除名事由に該当する限り解雇は已むをえないことであり、除名事由に該当するか否かということは、労働組合の統制力と労働組合員の具体的な行為とにつき一般的に判断せらるべきことだからである。

【32】「メーデーの行事が労働組合にとつては年一回の重大な行事であることからすれば、組合員は先ず組合の行事に参加すべきものであり、原告等が不参加理由書を提出せず組合の行事から遊離して政党の行事

に参加したことは事の軽重は兎も角として所属組合の統制を紊したものと認めざるを得ない。」しかし本件に於いては「㈠、前記参加要領には不参加理由書を提出しない不参加者に関する処置に付き別に規定せず、証人鶴井の証言によれば参加不参加は組合員の自由意思に任せ統制を加えぬ趣旨であつたことが窺われ、又一般組合員も参加及び不参加理由書提出に付き左程厳重に解して居なかつたことが……認められること。㈡、組合規約第二十四条によれば組合の統制を紊した行為に対する懲戒には除名権利停止及び損害賠償の三者があり原告等の本件行為は組合内部にあつて積極的に秩序を攪乱し結束を破壊するものではなく、他の不参加者と異なり政党に参加したとはいえ寧ろ消極的な行為であるに対し、除名処分は組合員にとつては組合から追放される最大の重要事であり、更に本件の如く使用者との間にユニオン・ショップ制労働協約を採用している場合は除名即解雇であり、組合員の生活を根底から動揺させるものであること、を綜合考按すると、除名処分は原告等の行為に対する懲罰としては社会通念に反する酷な処分であつて権利濫用に属し無効のものと謂うべきである」（岡山地判昭二五・一一・一〇労民集一・六・一〇八四）。

(4)　労働組合の組合員に対する統制力は、対使用者関係における団体交渉などを中心として最も強く要請せられつつ、組合内部の面においても相当の作用を発揮するが、「対使用者関係」という中心を離れるに従つて次第にその統制力が稀薄なものとなつてくるといえる（石井・労働法総論三三二頁参照）。そして、労働組合の統制力は、労働団体としての結合目的からみて、各個の労働者の思想・宗教・学問・政治・言論の自由などを侵しえないが、さらに、各個の労働者に帰属している財産権については、労働組合の決議を以てしても、これも侵害しえないことは当然のことである。労働協約の効力として、労働協約に定める賃金その他の労働条件に違反する労働契約の部分が無効とされ、この無効となつた部分については労働協約の基準の定めるところによるとされること（労働協約の直律性）につき（労組法一六条）、労働契約に定めるほうが有利であつても労働協約の基準による趣旨と解する場合においても、それは各個の労働者がその労務を提供した結果すでに具体的な債権として取得している財産権を侵害することを認める趣旨ではなく、将来に向つて労働条件を統一するかということである。つぎの判例も、労働組合が使用者との協定を以て組合員の未払賃金債権を処分することはできない旨を判示している。

【33】「労働組合は本来組合員の労働条件等を維持改善することをその目的とし、その労働協約を締結するの権限もこの目的の範囲内に限るべきであるところ、組合員が労働契約にしたがつて就労した結果、既に具体的に個々の組合員に帰属している賃金債権を処分するが如きは右目的の範囲内に属しないのであるから、労働組合と使用者との間の契約によつて個々の組合員が使用者に対して既に取得している賃金債権につき放棄その他の処分をなすが如きは個々の組合員が自らこの処分を特に労働組合に委任したという別段の授権があれば格別、そうでない限り労働組合はかかる処分をなす権限を有しないと解するを相当とし、従つて前記認定のように前記協定が締結されたからといつて申請人等のうち前記組合に所属していた者の被申請会社に対する未払賃金債権には何等の消長をきたすものではない」(福岡地飯塚支判昭三二・六・七労民集八・三・三六三)。

中央労働委員会裁定

地方労働委員会裁定

判例索引

著者紹介

萩沢清彦（はぎさわきよひこ）　弁護士，東京外語大講師
瀬元美知男（せもとみちお）　東京大学助手
外尾健一（ほかおけんいち）　東北大学助教授
石井照久（いしいてるひさ）　東京大学教授

総合判例研究叢書　労働法（5）

昭和34年4月10日　初版第1刷印刷
昭和34年4月15日　初版第1刷発行

著作者　萩沢清彦
　　　　瀬元美知男
　　　　外尾健一
　　　　石井照久

発行者　江草四郎

印刷者　中内佐光

東京都千代田区神田神保町2ノ17
発行所　株式会社　有斐閣
電話九段（33）0323・0344
振替口座東京370番

印刷・暁印刷株式会社　製本・稲村製本所

総合判例研究叢書 労働法(5)
(オンデマンド版)

2013年2月15日 発行

著 者 萩沢 清彦・瀬元 美知男・外尾 健一
石井 照久

発行者 江草 貞治

発行所 株式会社 有斐閣
〒101-0051 東京都千代田区神田神保町2-17
TEL 03(3264)1314(編集) 03(3265)6811(営業)
URL http://www.yuhikaku.co.jp/

印刷・製本 株式会社 デジタルパブリッシングサービス
URL http://www.d-pub.co.jp/

AG548

ISBN4-641-91074-X Printed in Japan